Jose Cuervo and Company is celebrating more than two hundred years in the industry, though its involvement in tequila production likely dates back even longer. The history of tequila and the history of the company are inextricably tied together. That is why, with Artes de México, *we feel it is important to explore the memory and aesthetics surrounding this beverage, which has become a symbol of Mexico and its people.*

It gives us great pleasure to present this fascinating publication which offers an engaging introduction to the origin, symbols and significance of tequila as it appears in different contexts: history, poetry, fiction, film and the visual arts. Tequila forms part of the Mexican imagination and constitutes a traditional art of Mexico.

Juan Beckmann Vidal
President of Jose Cuervo y Compañía

José Cuervo y Compañía celebra más de doscientos años de vida. Aunque es muy probable que comenzara desde antes su actividad. La historia del tequila y la historia de la empresa están entretejidas. Por eso consideramos importante explorar con *Artes de México* la memoria y la estética alrededor de esta bebida que hoy es uno de los símbolos de la mexicanidad.

Nos complace presentar esta interesante publicación que intenta, de una manera agradable, dar a conocer los orígenes, símbolos y la importancia del tequila en diferentes ámbitos de la vida: la historia, la poesía, las artes visuales, el cine y la narrativa. Así, el tequila forma parte de la imaginación de los mexicanos y es, al mismo tiempo, un arte tradicional del país.

Juan Beckmann Vidal
Presidente de José Cuervo y Compañía

Cuervo

EL TEQUILA

ARTE TRADICIONAL DE MÉXICO

REVISTA-LIBRO BIMESTRAL
NÚMERO 27. AÑO 2008.

PRIMERA EDICIÓN, 1995.
SEGUNDA EDICIÓN, 1999.
TERCERA EDICIÓN, 2008.

ARTES DE MÉXICO renació en 1988 como un proyecto cultural inusitado, que toma como eje una revista monográfica en la que confluyen aproximaciones novedosas y reflexiones apasionadas sobre nuestra cultura. Desde entonces, nuestra meta ha sido descubrir, a través de los más sorprendentes objetos del arte, los nuevos enigmas de un México creativo y vital. Hemos querido indagar sobre lo que no es evidente a través de lo que sí se ve. Invariablemente nos hemos visto maravillados, pues los muchos rostros de nuestra cultura han superado nuestras expectativas. Llevamos veinte años sumando al placer de contemplar el placer de comprender. Y, gracias a la preferencia de nuestros lectores, seguiremos sumando senderos a este itinerario cultural.

AGRADECIMIENTOS
Juan Beckmann Vidal, Juan Domingo Beckmann Legorreta, Carolina Vidal de Beckmann, Alejandro Cantú, José María Muriá, Guillermo de la Peña, Enrique Legorreta, Mario Alegre, Luis Alberto Rendón, Michèle Schild, Francisco Sánchez, Omar Chanona, Lucía González, Claudio Jiménez Vizcarra, Octavio Limón, Donato Ruiz Sánchez, Juan Enrique Martínez, Guillermo Santamarina, Jorge Esquinca, Lucero Jarero, Ramón Camarena, Elena Matute, Cecilia del Palacio, Abel Montaño, Ricardo Pérez Escamilla, José Manuel Springer, Gutierre Aceves, Fabiola Villaseñor, Ana Patricia Zea de Gómez, Angélica Azucena Guerrero Méndez, Juana Irma Flores Gaytán, Susana Pacheco Jiménez, Enrique Cuervo, Stella María González Cicero, Carlos Ashida, Ana Valenzuela Zapata, revista *Viceversa*.

FOTOGRAFÍA
Portada: Patricia Tamés.
Interiores:
Dito Jacob: p. 55.
Carlos Palomar: pp. 48, 49.
Cecilia Salcedo: p. 53.
Fernando Saldaña: p. 80.
Patricia Tamés: pp. 3, 4-5, 36, 38, 39, 42, 44, 45, 50-51, 52.
Jorge Vértiz: pp. 6, 8-9, 11, 12, 16, 18, 20, 21, 22, 23, 28-29, 30, 31, 32, 33, 34, 35, 40, 41, 50-51, 54, 55, 56, 58, 68-69, 70.

ARTES DE MÉXICO
Córdoba 69, Col. Roma, 06700, México, D.F.
Teléfonos: 52(55) 5525 5905, 5525 4036, Fax: 52(55) 5525 5925
www.artesdemexico.com • artesdemexico@artesdemexico.com

IMPRESIÓN
Transcontinental. Reproducciones Fotomecánicas, S.A. de C.V.
Impreso en papel Magno Matt de 135 gramos, y encuadernado en Encuadernadora Mexicana, S.A. de C.V.

Artes de México es una publicación de Artes de México y del Mundo, S.A. de C.V. Miembro núm. 127 de la CANIEM. Certificado de Licitud de Contenido núm. 56. Certificado de Licitud de Título otorgado por la Comisión Calificadora de Publicaciones y Revistas Ilustradas núm. 99. Reserva de Título núm. 04-1998-061720262000-102 Como revista: ISSN 0300-4953 Como libro en encuadernación rústica: ISBN 978-968-6533-94-1 Como libro en pasta dura: ISBN 978-970-683-212-2. Distribuida por Artes de México e Intermex S.A. de C.V. Lucio Blanco 435, Col. San Juan Tlihuaca, 02400, México, D.F.

AGOSTO DE 2008

Nuestra portada

Acercamiento a una fila de agaves azules, de la variedad de la que se obtiene el tequila; fotografiada por Patricia Tamés. El agave, como racimo de espadas desafiando al viento, da carácter al paisaje de México. En apariencia indiferente a la sequedad del clima, con vivos ecos prehispánicos, más que un producto vegetal de la tierra es ya un emblema del país. Antes de la Conquista se reconocía una gran variedad de agaves que se utilizaban de muy diferentes maneras. Alrededor del agave hubo mitos y rituales antiguos. Los nuevos tienen que ver sin duda también con el tequila.

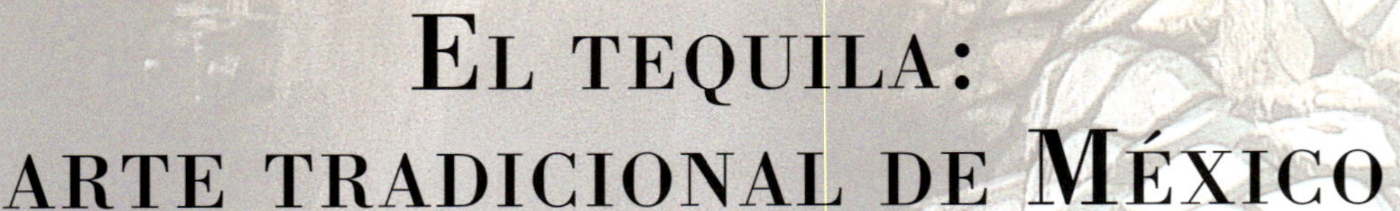

El tequila: arte tradicional de México

SANGRITA
CASERA
INGREDIENTES:
HECHO EN MEXICO
GRAN
LIBRO
DE LA

Editorial

A LA SOMBRA DEL TEQUILA

ALBERTO RUY SÁNCHEZ

La comida y la bebida de cada región y país llevan consigo un universo de valores, costumbres e ideas; es decir, una cultura entera. Entre los rituales de la comida mexicana el ritual del tequila ocupa un lugar especial que va creciendo en importancia. Es ya una materia que hace a la gente sentirse iniciada a una práctica y a un conocimiento especiales y no tan sólo una bebida. A los placeres de su sabor se suma un valor de iniciación a un mundo cultural que es el de las tradiciones de México. A la vez que penetra a fondo en la sociedad por su historia y tradiciones se extiende a lo largo y ancho alcanzando áreas que van de las clases altas a las populares y de la mayor sofistificación cultural (que puede ser popular) a la más burda cultura de masas (que puede ser la de las clases altas). Así, a la sombra del tequila aflora un mundo de formas que nos remite constantemente a las artes tradicionales de este país. Es ese mundo el que hemos comenzado a explorar en esta entrega de *Artes de México.* Queremos añadir elementos de sabor y de saber a la iniciación tequilera de nuestros lectores. Son muchísimas las pistas a seguir y los misterios por desentrañar. La primera pregunta que nos hacemos es sobre las causas por las cuales una bebida tan regional, de Jalisco, se convierte en símbolo nacional. Y Alfonso Alfaro la responde con elocuencia y profundidad. José María Muriá nos cuenta la historia de esa industria que él conoce mejor que nadie y Margarita de Orellana un caso específico, el de la Casa Cuervo, una de las empresas más antiguas de México. Su microhistoria documental precede a un reportaje hecho en el pueblo de Tequila por Magali Tercero con algunos personajes de esa industria a caballo entre dos tiempos. María Palomar nos introduce a las imágenes escritas por los diversos viajeros que han sabido saborear el paisaje de Tequila. Ahí, en medio de los campos con carácter de agave, los tequileros han construido, en contraste con el lienzo de púas de su paisaje, varios jardines edénicos a los que nos lleva como visitantes privilegiados Juan Palomar. Extendiendo la estética de la tierra hacia otros campos de la cultura, se puede descubrir que existe una poética del tequila en el cine y la literatura de México. Vicente Quirarte la analiza para contárnosla con ciencia y paciencia de buen conocedor de libros y tequilas. Entre las obras que comenta está un poema muy interesante de Efraín Huerta sobre la célebre copa tequilera, el caballito. Lo mostramos aparte para que puedan paladearlo nuestros lectores tranquilamente. A manera de aperitivo excepcional, Álvaro Mutis ha entregado especialmente para este número un poema sobre el tequila. Y para cerrar de la mejor manera, con un postre también único escrito para esta edición, Laura Esquivel, con su sonrisa inteligente, nos ofrece su cuento "El tequila milagroso". Esperamos que este menú tequilero sea para nuestros lectores tan sabroso como lo ha sido para nosotros.

Eugenia Marcos. *La última y nos vamos,* 1992.
Óleo sobre tela. 50 x 60 cm.

El agave gaviero

PONDERACIÓN Y SIGNO DEL TEQUILA

ÁLVARO MUTIS

Para María y Juan Palomar

El tequila es una pálida llama que atraviesa los muros
y vuela sobre los tejados como alivio a la desesperanza.
El tequila no era para los hombres de mar
porque empaña los instrumentos de navegación
y no obedece a las tácitas órdenes del viento.
Pero el tequila, en cambio, es grato a quienes viajan en tren
y a quienes conducen las locomotoras, porque es fiel
y obcecado en su lealtad al paralelo delirio de los rieles
y a la fugaz acogida en las estaciones,
donde el tren se detiene para testimoniar
su inescrutable destino de errancia sujeta a leyes inapelables.
Hay árboles bajo cuya sombra es deleitoso beberlo
con la parsimonia de quien predicó en el viento
y otros árboles hay donde el tequila no soporta la umbría
que opaca sus poderes y en cuyas ramas se mece
una flor azul como el color que anuncia los frascos de veneno.
Cuando el tequila agita sus banderas de orillas dentadas,
la batalla se detiene y los ejércitos tornan
al orden que se proponían imponer.
Dos escuderos lo acompañan a menudo: la sal y el limón.
Pero está listo siempre a entablar el diálogo
sin otro apoyo que su lustral transparencia.
En principio el tequila no conoce fronteras.

Pero hay climas que le son propicios
como hay horas que le pertenecen con sabia plenitud:
cuando llega la noche a establecer sus tiendas,
en el esplendor de un meridiano sin obligaciones,
en la más alta tiniebla de las dudas y perplejidades.
Es entonces cuando el tequila nos brinda su lección consoladora,
su infalible gozo, su indulgencia sin reservas.
También hay manjares que exigen su presencia;
son aquellos que propició la tierra que lo vio nacer.
Inconcebible sería que no fraternizaran con certeza milenaria.
Romper ese pacto sería grave falta contra un dogma prescrito
para aliviar la escabrosa tarea de vivir.
Si "la ginebra sonríe como una niña muerta",
el tequila nos atisba con sus verdes ojos de prudente centinela.
El tequila no tiene historia, no hay anécdota
que confirme su nacimiento. Es así desde el principio
de los tiempos, porque es don de los dioses
y no suelen ellos fabular cuando conceden.
Ése es oficio de mortales, hijos del pánico y la costumbre.
Así es el tequila y así ha de acompañarnos
hasta el silencio del que nadie regresa.
Alabado sea, pues, hasta el final de nuestros días
y alabada su cotidiana diligencia para negar ese término.

Álvaro Mutis, poeta y novelista, Premio Xavier Villaurrutia, Premio Nacional de Literatura en Colombia, Premio Roger Caillois, Premio Médicis Extranjero (Francia) y, en Italia, Premios ILLA y Nonino. Es autor, entre otros libros, de *Los elementos del desastre, Caravansary, Los emisarios, Crónica regia, La nieve del almirante, Ilona llega con la lluvia, Un bel morir, La última escala del Tramp Steamer* y *Summa de Maqroll el Gaviero,* así como *Amirbar, Tríptico de mar y tierra* y *Abdul Bashur, soñador de navíos.*

EL TEQUILA Y SUS SIGNOS: ELOGIO DEL HIDALGO CAMPIRANO

ALFONSO ALFARO

A semejanza de la nación mexicana el tequila nació mestizo: del agave americano y de los alambiques llegados de Europa portadores de una consonancia arábiga. En este ensayo el autor explora el mundo simbólico que representa este elixir refinado y absoluto, cercano a veces a la perfección, inventado por los terratenientes acomodados, hijos de europeos o de herencia mezclada que contribuyeron a formar la nueva identidad mestiza. Hoy los atributos de México y los del tequila se sobreponen confundiéndose en una sola imagen.

¿A qué sabe el nombre de las cosas? ¿Cómo pueden los labios y la lengua descifrar en un solo instante símbolos densos, historias olvidadas, para ofrecernos, confundidos en un solo placer, tantos cuidados, tantas lluvias, tantos destinos?

El tequila, falsamente inocente, esconde en su materia impalpable y casi invisible a fuerza de pureza signos espesos cargados de la opacidad del tiempo y de la memoria.

México es una fascinante metonimia: un país inmenso y múltiple que usurpa la denominación de una ciudad y de una etnia localmente circunscrita. Si los mexicas formaron una urbe y un imperio, los castellanos edificaron sobre sus despojos una nación de contornos mucho más vastos y de naturaleza mucho más compleja en la que ningún guerrero tenochca podría reconocerse.

En el roce incesante de los siglos y los signos, esa nación ha ido fabricando sus marcas de identidad: emblemas, estereotipos, referencias distintivas; se ha ido modelando una fisonomía que se pretende anterior a todos los recuerdos.

Entre las insignias que la representan hay una que es objeto de consenso: un elixir refinado y absoluto que se acerca en ocasiones a la perfección que pueden lograr las cosas de los hombres.

¿Por qué razones una patria centralista y aztecólatra eligió para convertirlo en bebida nacional el licor de una provincia lateral y costera, ajena al mundo mexica?

A semejanza de la nueva nación, el tequila nació mestizo: del agave americano y de los alambiques llegados de Europa portadores de una consonancia arábiga (el vino fue siempre bebida de peninsulares o criollos, el pulque evocaba el mundo indígena).

En su mayoría, las tierras azules del tequila no fueron latifundios ni parcelas. A medio camino entre las propiedades de los principales mayorazgos y las de las comunidades indígenas, éstas, al igual que muchas empresas agrícolas de Jalisco, han sido haciendas medianas o incluso grandes ranchos. Sus dueños han estado habitualmente más cercanos al solar que a las antecámaras palaciegas (desde la época virreinal) y han sido menos poderosos y también menos opulentos que los patricios titulados de la corte virreinal de la Nueva España.

Naturalmente, nunca han dejado de pertenecer al mundo de los señores, como lo muestran la gestión empresarial de sus haberes, sus estrategias patrimoniales, el severo código de sus modales disfrazados de llaneza y, sobre todo, la imagen incuestionada que siempre han tenido de sí mismos.

Hijos de europeos o de herencia mezclada, los terratenientes acomodados fueron conformando poco a poco (como lo hacían al mismo tiempo los constructores y herederos de las grandes fortunas) un espacio homogéneo en donde el origen y la sangre iban perdiendo relevancia, y forjaron así una de las matrices culturales de la nueva identidad mestiza.

Manuel Serrano.
Coleando a campo abierto, 1860.
Óleo sobre tela. 29 x 41 cm.
Galerías Cristóbal.

Página anterior:
Francisco Gálvez.
La monta del novillo
(detalle), 1872.
Óleo sobre tela. 73 x 94 cm.
Colección M. Claudio Jiménez Vizcarra. Guadalajara, Jalisco.

Los hidalgos rurales (ganaderos, maiceros, tequileros...), hombres de a caballo, encontraron en la charrería su expresión natural y distintiva, y en la transparente calidez del tequila su paladar reconoció señales de un universo estético que les era propio, un universo definido por el amor a los olores de la tierra, las sombras nítidas trazadas por una luz implacable, las palabras dichas de una sola vez, una sensibilidad y un regocijo enfáticamente masculinos.

Entre estos caballeros y el tequila habían correspondencias naturales: el campo, la tradición, el trabajo a conciencia, la entereza y el vigor espiritual.

Las figuras de estos hidalgos campiranos y de la bebida que llegaría a representarlos con tanta fidelidad habían de sumarse, asociadas, a las imágenes fundadoras de una patria naciente y contribuirían a la creación

Gilberto Guerra.
Paisaje de Tequila, ca. 1980.
Óleo sobre tela.
Colección Casa Cuervo.

Página siguiente:
Francisco Gálvez.
La cacería del venado
(detalle), 1872.
Óleo sobre tela. 73 x 94 cm.
Colección M. Claudio Jiménez Vizcarra. Guadalajara, Jalisco.

de estereotipos en donde pudieron reconocerse poblaciones geográfica y socialmente muy dispares entre sí.

Su cultura mestiza, su apego al terruño, su sólido instinto familiar, hacían a estos agricultores cercanos y entrañables a la pequeña gente de campo, a los hogares, a las nuevas poblaciones urbanas y les otorgaban credibilidad como modelos de valores. Sus referencias hispánicas, su carácter empresarial, su gallardía y su pundonor, que los situaban en el universo cultural de las elites, los hermanaban con ellas.

Surgiría de esta manera una imagen puente: menos lejana y controvertida que la del gran hacendado y el criollo después de la Independencia y la Revolución, menos áspera y dolorosa que la del indígena y el campesino.

Para sentar las bases de la nación, los habitantes de la Nueva España y del México independiente habían realizado un proceso brutal: separar de un tajo dos imágenes, la de los indios vivos y la de la gloria imperial azteca. Se habían dotado así de un objeto capaz de suscitar la adhesión y la veneración comunes: en el fresco que reconstruía, exaltándola, una imponente civilización ya sepultada, todos los habitantes de la nueva patria podrían percibir y admirar rasgos de sí mismos, rasgos capaces de justificar el orgullo de una pertenencia.

Si la sublimación de la grandeza mexica fue eficaz para fundar un imaginario político, los imaginarios culturales tenían necesidad de modelos más cercanos y visibles, más adaptados también a un país en rápida transformación. Las sociedades como ésta, que no se encuentran totalmente condicionadas por sistemas de organización tradicionales de corte comunitario, ni por una cultura de la modernidad fundada en el individuo-ciudadano, tienen entre sus siluetas rectoras la del *paterfamilias* libre, señor de sí mismo, de su progenie y de sus bienes. Aquí, la figura del hombre de campo, independiente, emprendedor y acomodado, sería el punto de partida para la formación de un consistente estereotipo: el del criollo amestizado (o viceversa), "varón de una sola pieza", amo irrestricto de sus fincas y potreros, enérgico con sus hijos y paternal con sus servidores, pragmático, firme hasta la obstinación, valeroso hasta la temeridad, ávido de goces de todos los sentidos, creyente fiel y sincero aunque incapaz de considerar la derrota ante las tentaciones de la carne como una debilidad.

La imagen ideal de unos patrones de su propia tierra, ágiles y empeñosos, había comenzado a cautivar las fantasías de sus compatriotas desde el siglo XIX, en una época en que el país se hallaba radicalmente polarizado hacia los extremos del latifundio y la comunidad indígena.

La ambición de los liberales era estimular la formación de una economía de propietarios, la cual debería engendrar necesariamente una sociedad de demócratas.

Estados Unidos era a la vez el espejismo y el acicate, y no pocos decimonónicos hubieran ya preferido *farms* sin peonaje en lugar de haciendas y ranchos. La legislación agraria durante la Reforma aspiraba claramente a alentar el surgimiento de una clase numerosa de medianos y pequeños empresarios rurales.

Esta utopía de un país de propietarios se resquebrajó rápidamente conforme se aplicaban, a lo largo del porfiriato, los programas económicos liberales que deberían edificarla: la conversión de la tierra inalienable en mercancía sólo aceleró el crecimiento del latifundismo e incubó la Revolución (una historia sobre la que valdría la pena meditar largamente en nuestros días).

Muerta la esperanza a manos de los mismos que habían pretendido hacerla real, sepultada por la violencia de la guerra, otra revolución, tecnológica y cultural, le daría vida en el imaginario popular de esa manera espontánea y reacia a todo voluntarismo, resistente a la manipulación, con que funciona la alquimia de los sueños.

Los mexicanos de todas las clases sociales descubrieron, gracias al cine nacional de la gran época, el rancho grande: una idílica agricultura de escenografía con casonas floridas, graneros repletos, caballos de estampa, canciones..., un mundo que no era el de la gran hacienda, aristocrática y moribunda, ni el de la parcela, sinónimo de lucha y privaciones. Un artificio en donde un país lanzado a la modernidad urbana e industrial fabricaba remembranzas para alimentar una nostalgia: una ruralidad que podía ser bucólica.

Ese paraíso lograba poner en sordina los antagonismos étnicos y sociales e, incluso, amortiguar ciertos conflictos que producen una intensa crispación en esta sociedad preocupada hasta la angustia (como nos lo ha hecho ver Octavio Paz) por la afirmación de las imágenes del padre y del varón.

El cine permitió que el prototipo ideal del hidalgo campirano (con su música: el mariachi, y su bebida: el tequila), en el que tantos mexicanos podían encontrar elementos de afinidad e identificación, adquiriera las dimensiones de una verdadera referencia compartida, gracias a su formulación visual y a una difusión que, salvo los casos más

extremos de marginalidad cultural, allanaba fácilmente las barreras sociales y territoriales. El tequila y cada uno de los míticos amos rurales de la pantalla serían pues reflejo uno del otro: libres, bravos, sensibles, francos, seductores, exultantes.

Este aguardiente adquirió así su posición en las representaciones simbólicas de sectores sociales muy amplios y variados. Su sabor y su aroma, su cuerpo memorioso transmiten desde entonces todas esas señales y narran todas esas historias. Sus sílabas evocan, aun para aquellos que no lo han paladeado todavía, la claridad y el rigor de los caracteres enteros, el refinamiento de la ternura viril, la savia turbadora que aguarda en el reposo de unas inmensas hojas afiladas (y que inspiraba a Roland Barthes aun antes de haberlo probado).

Pero, como el fuego, el licor, regalo de dioses mitológicos, alberga un genio que puede esbozar una sonrisa feroz; en la mágica oscuridad de las salas de barrio o de las plazas pueblerinas cobraron también figura algunos de los más antiguos y terribles fantasmas de las culturas populares mexicanas: los que vinculan el alcohol con la embriaguez y el placer con las euforias inducidas.

Los elementos semiológicos (las representaciones de un imaginario cultural) no

pueden explicar por sí solos la posición que ha alcanzado el tequila entre los signos de la identidad mexicana. Cuando, simultáneamente al auge del cine, se creó en el país un verdadero mercado nacional, los tequileros estuvieron entre los poquísimos fabricantes de un producto vernáculo y distintivo capaces de hacer frente al desafío de un espacio comercial tan amplio. La paulatina apertura al mundo en las décadas siguientes encontró a esos empresarios igualmente alertas, disponibles, preparados para la aventura.

El tequila realizaba así un nuevo mestizaje que pudo aliar dos contradicciones aparentes: una exigencia en materia de calidad y tradición, y una gestión moderna, capaz de innovación técnica, de una estrategia osada en la búsqueda de nuevos mercados. Le será preciso ahora afrontar los peligros que la ambición apresurada y la falta de perspectiva histórica pueden hacer correr a un producto dotado de una vocación de prestigio y excelencia y cuyo mayor capital reside, a largo plazo, en el carácter genuino de sus materias primas y la autenticidad de su proceso de elaboración.

Con la riqueza de su triple mestizaje (origen, referencias simbólicas y cultura empresarial) el tequila lleva ya por riberas lejanas estas claves que entreabren las rendijas del deseo, aunque en cada puerto y en cada vecindario sus signos sean descifrados de distinta manera. En el exterior, la relación entre ambas representaciones parece todavía más evidente: los atributos de México y los del tequila se sobreponen confundiéndose en una sola imagen.

Fue de nuevo el cine —otro cine— el instrumento principal para la formación de los estereotipos sobre México en las representaciones populares del mundo occidental y, a partir de ahí, para su difusión en la nueva cultura de masas de alcances planetarios.

Gracias a las investigaciones de Margarita de Orellana hemos descubierto el papel fundamental que desempeñaron las cintas estadunidenses acerca de la Revolución mexicana en la formación de estos fantasmas. El *western* continuó la misma labor, y ahora en Túnez, Burdeos o Bangkok, entre las imágenes que el peatón ordinario tiene sobre México se encuentra siempre la de ese mismo territorio agrario y agreste, de sol y de viento, de aceros relampagueantes, paisaje en donde el agave recorta el firmamento.

La estética del *melting-pot*, al infiltrarse, revestida de los colores de Manhattan y Beverly Hills, entre las clases *branchées* europeas, ha llevado con ella ambos jeroglíficos pródigos de exotismo (México y el tequila) que, empalmados en uno solo, son recibidos con entusiasmo en los cafés y bares de moda en Neuilly y Les Marais.

Por otra parte, el México de los ojos extranjeros, el México de Eisenstein, de Artaud, de Lawrence, de Breton, de Lowry, de Traven, de Bowles y Burroughs... ha hecho surgir entre un público cultivado y cosmopolita, repartido por todos los puntos cardinales, la fantasmagoría de un país grave y arcano, vivero de paradojas, sometido al imperio de fuerzas invencibles: un suelo de grandes civilizaciones que afloran por capas, poderosas y enigmáticas. Asociado a esta imagen, el tequila se convierte en licor de tierra antigua, finura de caballeros, pócima de ocultas sabidurías cuyo trato resulta indispensable para adentrarse, mediante una exploración emprendida por la propia boca y por las propias venas, en un mítico país de cinco soles.

Más a ras del suelo, algunos miembros de las clases medias mexicanas, ciertas familias urbanas recibieron en 1982 un don inesperado e invaluable: muchos bebedores de whisky comercial, de vinos sin carácter pero importados, de cocteles extravagantes, descubieron, olvidadas en las estanterías, magníficas botellas cuyo acceso les había vedado el malinchismo.

El añoso pasado de este ya venerable monumento (que nos devela José María Muriá) ha sido clandestino y misionero, liberal y benemérito. Cada una de sus edades ha quedado inscrita en su sustancia y en sus signos.

La lengua reconoce sensaciones y el espíritu significados: el sabor es el encuentro de unas y otros. Sabemos a qué saben el tequila y su nombre, barruntamos apenas lo que ellos saben: lo que guarda la memoria del maguey, de cuyo cuerpo surgieron, como nos recuerda María Palomar, ciertos códices y una tilma de ayate. El tequila, además de sus matices y su calor, es al mismo tiempo vehículo de imágenes y de mitos, testigo de un mundo generoso. Acercarnos a él nos permite disfrutar algunas de las mejores cosas que ha producido el universo de los hidalgos campiranos, un territorio donde el tiempo es todavía vegetal y en donde los señores han sabido conservar los insignes privilegios de asistir a caballo al espectáculo del alba y escuchar la llegada de la noche en un corredor con equipales.

Alfonso Alfaro, doctor en antropología por la Universidad de París. Es director del Instituto de Investigaciones Artes de México. Ha publicado con Artes de México, entre otros títulos, *Voces de tinta dormida. Itinerarios espirituales de Luis Barragán* y *Moros y cristianos. Una batalla cósmica*. Ha realizado estudios sobre historia del arte del siglo XVIII.

Francisco Gálvez.
La capea del novillo, 1872.
Óleo sobre tela. 73 x 94 cm.
Colección M. Claudio Jiménez Vizcarra. Guadalajara, Jalisco.

Página anterior:
Francisco Gálvez.
La cacería del venado, 1872.
Óleo sobre tela. 73 x 94 cm.
Colección M. Claudio Jiménez Vizcarra. Guadalajara, Jalisco.

Página siguiente:
Horno de piedra
con piñas de agave azul.
Colección Donato Ruiz.

El agave histórico

MOMENTOS DEL TEQUILA

JOSÉ MARÍA MURIÁ

El historiador José María Muriá nos conduce por diversos momentos que a lo largo de los siglos hicieron del arte e industria del tequila lo que ahora es: centro simbólico de la mexicanidad.

Aunque el agave no es privativo de México, y pese a que la voz "maguey" nos llegó de las Antillas en boca de los conquistadores (en nuestras lenguas nativas se le nombraba *metl* en náhuatl, *tocamba* en purépecha, *guada* en otomí), no cabe duda que en ninguna otra tierra se ha integrado mejor esta planta tanto al paisaje como al sentir y al vivir de su gente.

No es por azar que en nuestra paisajística del siglo XIX, en búsqueda de la esencia de lo nacional, el maguey constituya uno de los elementos más socorridos y, desde luego, el más utilizado para testimoniar con claridad que el paisaje en cuestión era mexicano y no de otra parte del mundo.

Según los conocedores, existen más de 17 géneros y especies distintos de agave, pero independientemente de sus características botánicas, de lo que aquí se quiere hablar es de la relación del maguey con la historia humana y de la influencia que ha ejercido en ella su producto etílico: el tequila, elaborado en una comarca de Jalisco y considerado como la bebida nacional por excelencia, consumida tanto dentro como fuera de nuestras fronteras.

En muchas regiones de México se obtienen, también del maguey, otros aguardientes similares, que reciben el nombre genérico de mezcal y toman el apellido de la población donde nacen. Tenemos así mezcal de Oaxaca, de Quitupan, de Tonaya, de Apulco, de Tuxcacuesco y de otros lugares. Sin embargo, por una razón o por otra, el tequila se considera ahora la bebida alcohólica "mexicana por excelencia", así como el mariachi y los charros jaliscienses constituyen el arquetipo de toda la música de México y de quienes viven en este país.

SIGNOS Y GEOGRAFÍA DEL TEQUILA

Desde el punto de vista etimológico, se han asignado a la palabra tequila interpretaciones diversas. Parece predominar la idea de que, por venir del náhuatl (*téquitl:* trabajo, oficio, empleo, cargo, y *tlan*: lugar), se refiere a un sitio donde se efectúa cierto tipo de labores o, por otro lado, como apunta el investigador Jorge Munguía en su *Toponimia náhuatl de Jalisco*: "lugar en que se corta", basado en el hecho de que el verbo *tequi* significa, como dice Ángel María Garibay Kintana, "cortar, trabajar, tomar fatiga".

Tequila es el nombre de una población de origen prehispánico, cabecera que hoy

Fragmentos del *Códice Nutall* en los que están representados algunos de los 17 tipos de maguey conocidos en la época prehispánica.

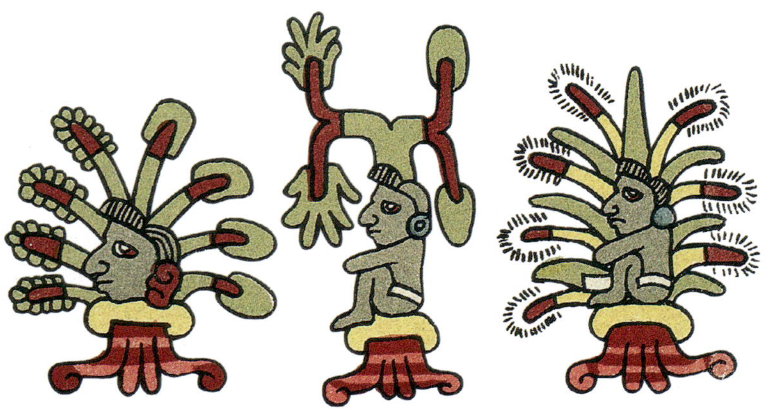

cuenta con más de 18 000 habitantes, y que está a poco menos de 60 kilómetros al norponiente de Guadalajara. Dentro del municipio se alza, dotando a su paisaje de una especialísima personalidad, otro propietario del topónimo Tequila: se trata de un cerro que sobrepasa los tres mil metros de altura sobre el nivel del mar y que fue alguna vez un volcán activo. Tequila es también el nombre del valle donde se asienta el poblado y que cierra por un lado ese cerro.

Pero la palabra no ha quedado siempre abrazada por los límites geográficos del actual municipio. La importancia del pueblo en la época virreinal lo llevó a encabezar un corregimiento del Nuevo Reino de Galicia, también bautizado con el nombre de Tequila. Casi con los mismos límites, a fines del siglo XVIII el corregimiento pasó a ser un partido de la intendencia de Guadalajara. En los albores de la vida independiente se le denominó departamento, en medio de las convulsiones decimonónicas volvió a ser un partido y luego tornó a departamento, hasta que esas unidades geopolíticas fueron abolidas por la Revolución de 1910.

Vale tener presente, además, que la jurisdicción conocida como departamento casi corresponde al área de la zona tequilera en su origen, antes de que empezara a desbordarse sobre algunos lugares vecinos.

Por último, toca referir que Tequila fue también el nombre del decimosegundo cantón de Jalisco desde 1872 hasta 1891.

UN MESTIZAJE PARTICULAR

En la cultura náhuatl, el maguey fue creación divina, y sobrehumanos se consideraron también sus poderes. Según Antonio Caso, el maguey era una representación de Mayáhuel, la diosa que, como la Venus de Éfeso, tenía 400 pechos para alimentar a sus 400 hijos, los *centzon totochtin*, los 400 o innumerables dioses de la embriaguez, que eran adorados en los diferentes pueblos de la altiplanicie y que derivaban sus nombres de las tribus de las que eran patronos.

"La planta de maguey, o agave —agrega George C. Vaillant—, era sumamente importante para la economía doméstica por su savia, que se fermentaba para hacer una especie de cerveza" (*sic*). El pulque se usaba no solamente como licor y como intoxicante ritual, sino que también tenía un efecto nutritivo importante al compensar la falta de verduras en la alimentación mexicana.

Toribio de Benavente, el franciscano que mereció de los indígenas el sobrenombre de Motolinía, demuestra en sus *Memoriales* haber quedado profundamente impresionado por la gran variedad de usos que los indígenas sabían encontrarle al maguey. Además de hablar del pulque, fray Toribio señala admirado que "sácanse de aquellas pencas de *metl*, hilo para coser, también hacen cordeles, sogas, maromas, cinchas e jaquimas [...] vestido y calzado, que llaman los indios *cactli* [...] También hacen alpargatas como las de Andalucía, mantas y capas".

Sigue diciendo el franciscano que las púas eran de gran utilidad, y habla de las hojas secas empleadas para techar casas, fabricar papel o simplemente para hacer fuego, cuya ceniza además "es muy buena para lejía", sin olvidar las propiedades curativas del pulque y la savia, como consta en la figura 596 del *Códice Florentino*.

No en vano escribía fray Juan de la Concepción, un carmelita descalzo poco conocido de cuyo *Romance histórico* cita Lorenzo Boturini la siguiente octava en su *Idea de una nueva historia general de la América Septentrional*: "De los magueyes retorcidas fibras/ volúmenes de Historia dieron muchos/ en que páginas eran los colores/ caracteres formando de los nudos.// Mejores plumas fueran los pinceles/ que al algodón pasaban el trasunto/ de los Héroes tan divino, que aun el tacto/ su objeto le juzgaba por el bulto".

¿Cómo suponer que una planta capaz de proporcionar todas esas cosas no fuera deificada por una sociedad tan propensa a asociar con la divinidad todo lo bueno que tenía a su alrededor?

El hecho de que no haya fuente alguna que mencione la existencia de algún tipo de bebida embriagante que no fuera fermentada hace que la opinión general concuerde en que el México prehispánico desconoció por completo el proceso de destilación. Así pues, el empleo del corazón del maguey para la fabricación de un licor propiamente dicho es uno de los más generosos frutos del mestizaje que comienza con el establecimiento de la dominación española en nuestras tierras.

NOTICIAS DEL VINO MEZCAL VIRREINAL

De manera un tanto confusa, como lo son muchos textos del siglo XVI novohispano para los lectores de hoy, el ya citado Motolinía apuntaba algo sobre la elaboración de un licor hecho mediante el cocimiento del mezcal o corazón del maguey, al que dice haberle oído llamar *mexcalli*, "que los españoles dicen que es de mucha sustancia y saludable".

De ser cierto, el llamado vino de mezcal resultaría ser uno de los primeros productos que la técnica europea supo obtener de un elemento natural americano, pero suena verdadero también que cuando los españoles llegaron a lo que hoy es Jalisco, el mezcal no se fabricaba todavía en otras regiones del virreinato.

Sin embargo, en toda la literatura que se conoce del primer siglo de vida neogallega —descripciones, acusaciones, refutaciones, etcétera— no se proporciona información alguna que indique una producción considerable del vino de mezcal.

Hay algunas noticias, por desgracia mal fundamentadas, que afirman que "en el año de 1600, vino a radicarse a Tequila el señor Pedro de Tagle, marqués de Altamira y caballero de la orden de Calatrava, quien desde su arribo estableció la primera fábrica de vino mezcal habida en Nueva Galicia".

No importa aquí objetar que Tagle haya venido o no, o si "pudo amasar una enorme riqueza en el transcurso de algunos años", como también se dice; lo que sí es importante observar es que no pudo haber sido el primero en fabricar mezcal en el corregimiento de Tequila, aunque sí, tal vez, uno de los primeros en hacerlo en una escala sustancialmente mayor a la del consumo propio.

De hecho, la primera noticia fidedigna que se tiene sobre el tequila proviene de la *Descripción de la Nueva Galicia*, de Domingo Lázaro de Arregui, escrita hacia 1621, donde se afirma que "los mexcales son muy semejantes al maguey, y su raíz y asientos de las pencas se comen asados, y de ellas mismas, exprimiéndolas así asadas, sacan un mosto de que sacan vino por alquitara, más claro que el agua y más fuerte que el aguardiente y de aquel gusto. Y aunque del mexcal de que se hace se comunican muchas virtudes, úsanle en lo común con tanto exceso, que desacreditan el vino y aun la planta".

El establecimiento de una industria, por pequeña que fuese, tenía que ser resultado de un proceso de sedentarización y de cierta concentración demográfica; de otra manera no hubiera habido a quién vender ni tampoco quién produjera; así pues, hasta que el español arraigó lo suficiente en el continente americano, ya convertido en criollo —rural o citadino—, no pudieron surgir los primeros intentos de manufactura en una escala mayor que la estrictamente necesaria para el consumo particular.

El pueblo de Tequila es un buen ejemplo de cómo la búsqueda de riqueza comienza a realizarse en el campo, en sustitución de los reales mineros. En 1563 no era más que un

USOS DEL AGAVE

Con esta planta sola parece que bastara a proveer de todas las cosas necesarias a la vida humana, que casi son innumerables los provechos y vitalidades que de ella se sacan, porque toda la planta junta sirve de vallado y guarda de las heredades. Las hojas sirven de tejas para defender los techos de las lluvias, los tallos sirven de vigas y de las mismas hojas se sacan hebras de hilo, de que hacen alpargatas y lienzo, y otras obras de ropa, para costales y otras cosas que nosotros solemos hacer de lino y cáñamo y algodón, de las puntas se hacen clavos y punzones, de los cuales usan los indios para horadar las orejas y por esta vía mortificarse cuando se ocupan en el culto de sus dioses, hácense también alfileres, agujas y abrojos, y puntas acomodadas para la guerra, y rastrillos acomodados para sus telas [...] *y además de esto cuando se quitan los pimpollos, cortándolos con navajas de piedra mana de aquélla con cantidad cierto zumo o licor* [...] *del cual licor se hace vino, vinagre, miel y azúcar, porque destilando este zumo y cociéndolo se hace más dulce y más espeso hasta que finalmente se engruesa y queda en azúcar, hácese vino del mismo licor, desleído con agua añadiéndole cáscaras de naranjas, y de melones, y otras cosas con que más fácilmente se embriaguen, que es lo que esta gente más desea.*

Fray Francisco Jiménez, siglo XVI.

LA DIOSA DEL MAGUEY

Mayáhuel es el símbolo de la fecundidad de la tierra. Al ser convertida en maguey brindó a los hombres (mexicas) los dones necesarios para sobrevivir. También es la madre de los cuatrocientos conejos o centzon totochtin*, los cuatrocientos o innumerables dioses de la embriaguez. La diosa tenía cuatrocientos pechos para alimentar a sus hijos. Mayáhuel posiblemente deriva de* meyahual*, centro del maguey cercado por las pencas entrelazadas, y se refiere a todos los brazos que florecen para el mismo pueblo. Mayáhuel presenta el torso desnudo, su* quechquémetl *y su falda están hechos de agua con adornos de concha, el penacho es de agua con plumas amarillas, en el centro del tocado hay unas figuras de maguey de las que emerge una cuerda trenzada y frente a Mayáhuel se ve florecer una parte del quiote del maguey. Es la única personificación que se caracteriza por amamantar a una figura no humana, un pez alado que pende de su seno.*

Ignacio Vértiz Gargollo

pequeño poblado de indios, al que no faltaba su encomendero y que pertenecía a la alcaldía mayor de las minas de Xocotlán, pero siete años después pasó a encabezar su propio corregimiento y a iniciar un camino ascendente gracias a su agricultura. Ese enriquecimiento más lento que el proporcionado por una espada o un pico afortunados, el del trabajo del campo, fue lo que convirtió al español en criollo y lo arraigó a la tierra de su vida y de su fortuna. Así se transformaron en productivas haciendas lo que al principio fueron pobres y pequeños centros agrícolas.

Es a principios del siglo XVIII, con Guadalajara ya convertida en el centro regional, cuando cobran importancia diversas actividades económicas.

Matías Ángel de la Mota y Padilla (1688-1766), en su *Historia del reino de la Nueva Galicia en la América septentrional*, escrita en 1742, menciona las prohibiciones, censuras y penas impuestas para quienes fabricaran el vino mezcal, comerciaran con él o lo consumieran en exceso, pero también señala que, pese a todo, este producto se iba elaborando cada vez en mayor escala.

Lo inconsecuente de la prohibición tenía por fuerza que llevarla al fracaso. Así, la Audiencia de Guadalajara decidió en la cuarta década del siglo XVII reglamentar la fabricación y el comercio del vino mezcal al ordenar la creación de un estanco adecuado, con lo que se enriquecieron las arcas del erario y pudieron realizarse obras públicas de interés general con los ingresos. Después de casi una centuria de vaivenes quedó consolidado el estanco tequilero, que subsistiría hasta ser abolido por el gobierno independiente.

EL TEQUILA VIAJERO E INDEPENDIENTE

A partir del siglo XVII se rompe en gran medida el aislamiento de Guadalajara y su región. Poco a poco, la costa norte del Pacífico empezó a manifestar sus necesidades, y Guadalajara, paso natural de su abastecimiento, a palpar la necesidad y la conveniencia de satisfacerlos.

Por otro lado, el tráfico de mercaderías con lo que los europeos llaman el Lejano Oriente —que para nosotros es Occidente— también aumentó en forma considerable a mediados del siglo XVIII.

Una de las medidas dispuestas por la Corona consistió en abrir un puerto auxiliar en el Pacífico: San Blas. Precisamente por fabricarse el tequila en el camino a esa ciudad, este puerto cobró cierta importancia al mediar el siglo XVIII, ya que desde ahí se abastecía a las nuevas colonias españolas en el noroeste de México. El "vino mezcal de esta tierra" se convirtió en el primer producto elaborado de exportación de lo que hoy es el estado de Jalisco. El mezcal de tequila ayudó a los españoles a sobrellevar las soledades de aquellas tierras septentrionales, y a los jesuitas y a los franciscanos, sucesivamente, a que los indios, colonizados por ellos con fines de catequización, se sintiesen de vez en cuando más contentos y soportasen con mayor resignación y paciencia, en lo que les llegaba la dicha eterna, el haber sido sometidos a un régimen de vida tan diferente de aquel al que estaban habituados.

De igual forma, desde Tequila pudieron atenderse los gaznates ansiosos de quienes trabajaban en las no tan lejanas, pero sí remontadas, minas de Bolaños, que tanto prosperaron al finalizar el siglo XVIII.

Asimismo el "vino de esta tierra" era reclamado desde la ciudad de México por su mejor consistencia, a pesar de otros mezcales que, por la mayor cercanía de su origen, llegaban a la capital novohispana a un precio mucho más bajo.

Pasarían muchos años antes de saberse que los agaves de Tequila eran de una especie muy distinguida, pero había paladares que ya entonces notaban la diferencia.

No se dispone, sin embargo, de mucha información acerca del movimiento del vino de mezcal a fines del siglo XVIII y a principios del XIX, ya que a raíz de las prohibiciones que periódicamente castigaron a la industria, productores y comerciantes, junto con las autoridades locales, procuraban no hacer mucha alharaca acerca de los dividendos obtenidos.

Luego de comenzar la lucha de Independencia, los datos sobre el tequila mostraron un incremento considerable tanto en su producción como en su venta. No obstante, a partir de 1815 y hasta la consumación de la Independencia, la industria sufrió un descenso muy notorio, sobre todo debido a la reapertura de Acapulco y el retorno de San Blas a su papel original de puerto suplente.

Como a casi todos los empresarios locales, lo que más interesó después de 1821 a los productores de mezcal fue conseguir la libertad de comercio para dar salida al exceso de producción ocasionado por los años buenos y a un sobrante provocado por los años malos.

A principios del siglo XIX habían 24 ranchos y haciendas —12 en Tequila, 12 en Amatitán— la mayoría ricos en agaves. Gracias a un estudio de Ramón Charles Perles, se tiene noticia de que en la hacienda de La Cofradía de las Ánimas, comprada en 1758 por José Antonio de Cuervo, un hijo de éste,

José María Guadalupe, desde 1795 fabricaba "vino de este suelo" en gran escala.

Esta destilería —o taberna, como también se le llama— fue heredada por la hija de José María Guadalupe, María Magdalena Ignacia, la cual se "casó en Tequila con Vicente Albino Rojas", a quien le encargó la administración de la fábrica y se la legó al morir.

Durante todo el siglo XIX no fue de ninguna manera raro que las destilerías fueran bautizadas con el apellido de su dueño, al que se le agregaba la terminación femenina "eña": La Floreña, La Martineña, La Guarreña, La Gallardeña, La Quintaneña, etcétera, todos ellos nombres de fábricas que desempeñaron un papel muy importante en la segunda mitad del siglo XIX.

Por otro lado, no dejó de haber casos en los que predominó la vocación liberal y positivista que, obediente al lema de orden y progreso, impuso nombres laicamente edificantes. Así por ejemplo, la fábrica de La Antigua Cruz fue rebautizada como La Perseverancia por Cenobio Sauza, su nuevo propietario, y Jesús Flores, dueño de La Floreña, impuso a su empresa el nombre de La Constancia.

El decreto del 3 de octubre de 1835 determinó la nueva relación de mayor dependencia de las entidades respecto de la capital. Por medio de esta disposición, los congresos de los estados fueron sustituidos por juntas departamentales, y los gobernadores quedaron supeditados directamente a la presidencia de la República.

Aquellos que durante los diez años federalistas habían visto cómo generar libremente una serie de recursos por ellos manejados y revertidos en beneficio de su propia comarca, no podían estar conformes con un control de la actividad económica y la manipulación de sus recursos por gente que, desde la lejanía de la capital, decidía dónde y cómo se tenía que invertir.

Las décadas siguientes fueron aciagas para el país. Sin embargo, la *débâcle* de la guerra de Texas, la invasión estadunidense y, por último, la intervención francesa, sin duda contribuyeron a forjar la identidad del México decimonónico y a acentuar su espíritu nacional. En un texto del francés Ernest de Vigneaux, escrito en 1854, se afirma que "Tequila da su nombre al aguardiente de mezcal, lo mismo que Cognac lo da a los aguardientes de Francia". Pasaron muchos años aún antes de que el nombre se generalizara entre las altas esferas del comercio y la industria, pero es evidente que la palabra ya servía para identificar el vino mezcal que la comarca fabricaba. En medio de todos esos

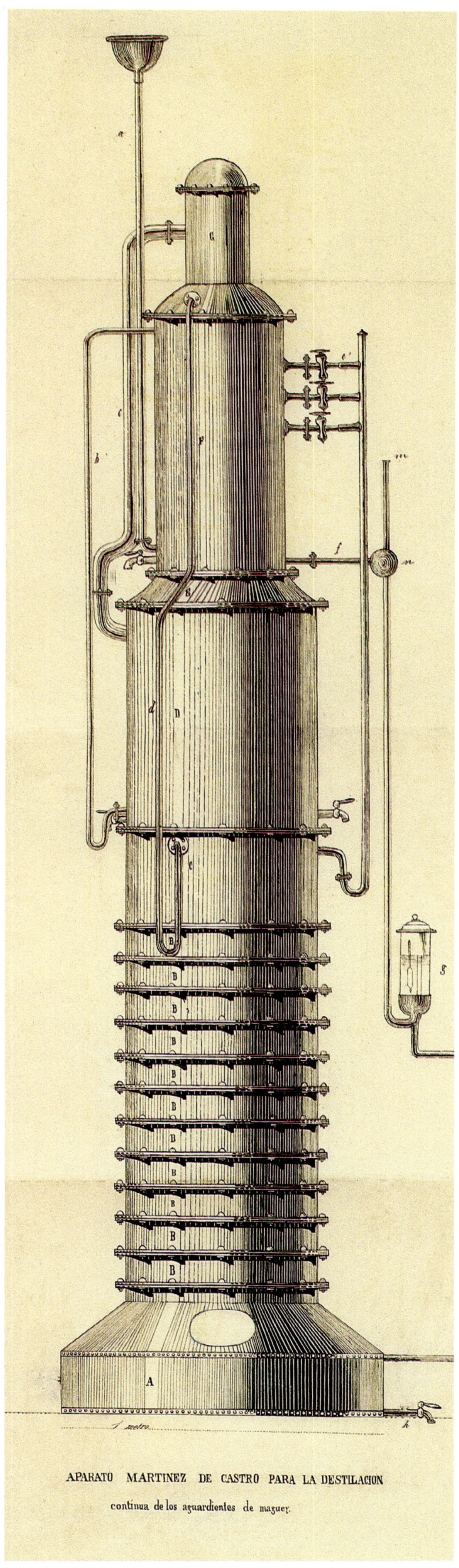

Alambique inventado por Martín Martínez de Castro para la destilación del aguardiente de maguey. Jalisco, 1881. Archivo General de la Nación.

Página anterior:
Representación de la diosa Mayáhuel. *Códice Tonalámatl Aubin.*

Arriba y abajo:
Depósito de fermentos del vino mezcal y descarga de mezcales en La Constancia.

Página siguiente:
Alambique de la fábrica de La Constancia, de José Cuervo y Anita González Rubio, *ca.* 1900.

agitados acontecimientos del siglo XIX, no hay datos precisos sobre la producción del mezcal. Tampoco hay datos concretos sobre el apoyo financiero proporcionado a los ejércitos liberales, aunque sí pueden apreciarse movimientos de tropas e indicios de que en el departamento de Tequila predominaban los defensores de la Constitución y de sus reformas.

Con la restauración de la República y la consolidación del Estado liberal, la producción artesanal del tequila pudo derivar hasta convertirse en una verdadera industria.

No en balde fue un prominente tequilero, Antonio Gómez Cuervo, quien resultó designado gobernador interino y comandante militar de Jalisco para encabezar el primer gobierno estatal en la República restaurada. Gómez Cuervo no dejó de proteger sus intereses y de favorecer a un grupo que, junto con su valedor Ramón Corona, lo apoyaba en forma incondicional: sus colegas los tequileros. Sin lugar a dudas mucho debió el desarrollo de esa incipiente industria al hombre que, por angas o por mangas y con muchos contratiempos, pudo llegar a instalarse en varias ocasiones en el palacio de gobierno, antes de retirarse definitivamente en 1871.

En enero de 1872, y en respuesta a las insistencias de los tequileros, el gobierno de Jalisco ordenó el establecimiento de un nuevo cantón que llevaría el número 12 y estaría formado por los antiguos departamentos de Ahualulco y Tequila. La jefatura política tenía su sede en Tequila, villa que dos años después recibiría el título de ciudad "en premio de la patriótica y valiente conducta observada por sus vecinos" en la defensa contra las tropas de Manuel Lozada, el legendario cabecilla apodado El Tigre de Álica.

EL TEQUILA REVOLUCIONARIO

Pese a todo, y en forma inexplicable, el fin del siglo XIX y los primeros años del XX marcaron una decadencia para Tequila y su zona aledaña. La preferencia por todo lo francés que sentía la clase alta mexicana fue el enemigo principal del tequila. De modo que sólo entre el "populacho" podían encontrarse bebedores del aguardiente de marras. De cualquier manera, el consumo de tequila llegó a incrementarse considerablemente.

Fue la Revolución mexicana la que, a fin de cuentas, prohijó una nueva actitud que redundó en favor del tequila. Derrumbada en 1911 la longeva dictadura encabezada por el general Porfirio Díaz, el afrancesamiento pasó por igual a ser cosa del pasado y el país entero se volcó a buscar expresiones y costumbres propias a fin de abonar en el fortalecimiento de la nacionalidad mexicana. El beber tequila en lugar de otros aguardientes importados fue una de tales gestas, pero aún se fue más allá, pues el propio gobierno favoreció a conciencia la imagen del tequila casi como un símbolo del mismísimo Estado nacional. También contribuyó en gran manera a este fin la industria cinematográfica mexicana, exitosa durante las décadas de 1930 y 1940, promoviendo ciertos estereotipos del hacer y ser de los mexicanos.

El cine, igual que muchas canciones que entonces estuvieron en boga, tuvo mucho que ver con la creciente fama de la bebida, pero ayudó también que el decir popular hubiera convertido el tequila en la mejor medicina contra una epidemia de influenza española que azotó el norte de México alrededor de 1930, y que, para atender la demanda, se haya podido disponer de pequeñas botellas fabricadas en la industriosa ciudad de Monterrey, en lugar de tener que distribuir la mercancía a granel en incómodas barricas.

Asimismo, el auge petrolero que se produjo en ese tiempo en la costa del Golfo de México, pudo coadyuvar al consumo de tequila gracias a los cilíndricos envases de medio litro, fáciles de manejar y transportar —incluso en la bolsa trasera de los holgados pantalones que se estilaban entonces—, y que tanto se vieron después en las pantallas de los cinematógrafos.

La industria del tequila estuvo lista, pues, a partir de 1940, para suplir al whisky que dejaría de llegar a Estados Unidos por causa de la segunda guerra mundial. La exportación de tequila llegó entonces a límites insospechados, pero también resultó vertiginosa la caída de las ventas al sobrevenir el armisticio, con lo cual hubo de hacerse un gran esfuerzo por incrementar el mercado interno y buscar el consumo en Europa y Sudamérica.

A partir de 1950, la producción de tequila gozó de mejoras técnicas considerables. Muchas fábricas hubo que, sin detrimento de la calidad, alcanzaron altos niveles de rendimiento e higiene, además de que algunas marcas resultaron más accesibles a las gargantas comunes por ser de menor graduación. Por otro lado, se descubrió también que la región de cosecha del agave azul podía extenderse, sin perjuicio del producto, de manera que el crecimiento en el mercado logrado después pudiera ser atendido debidamente.

Sin embargo, debe lamentarse el hecho de que en algunos países se falsifique tequila y sus gobiernos no parezcan preocuparse por ello, no obstante que, conforme a convenios y acuerdos internacionales, sólo puede fabricarse legítimamente en una porción determinada de México.

Hoy, los campos agaveros, con su fisonomía tan característica, comprenden una gran franja central del paisaje jalisciense, en tanto que, de manera directa o indirecta, la industria compromete a unas 300 mil personas, orgullosas de participar en la fabricación de un producto imbricado de tal manera en la vida de la región occidental de México, y satisfechas de ofrecer una bebida cabalmente mexicana a los demás habitantes del mundo. El tequila tiene, pues, una larga y azarosa historia, sumamente vinculada con la de su región del occidente mexicano. Es, como ésta, indudablemente mestizo y ranchero. Tiene un pasado semiclandestino y libertario, cuando a la vez que buscaba escapar a la férula metropolitana afirmaba su irreductible regionalismo frente a la Nueva España. Chinaco, federalista y liberal en el siglo XIX, el tequila, una bebida propia del populacho, según los europeizados paladares decimonónicos, se transformó por último en revolucionario y nacionalista.

Plaza de las Armas en Tequila, Jalisco, 1940.

Página anterior:
Vista panorámica del pueblo de Tequila, *ca.* 1940.

José María Muriá, maestro en historia por la Universidad de Guadalajara, doctorado por El Colegio de México, presidente de El Colegio de Jalisco y miembro de la Academia Mexicana de la Historia. Autor de *Sociedad prehispánica y pensamiento europeo, Historia de Jalisco* (4 vols.), *Brevísima historia de Guadalajara, Conquista y colonización de México, Jalisco en la conciencia nacional* y *Breve historia de Jalisco.* Aquí se presentan algunos fragmentos de su libro *El tequila. Boceto histórico de una industria.*

ZONA
DE TEQUILA
SAN MARTÍN DE
LA ESTANCITA
SANTA TERESA
A TEPIC
MAGDALENA
TEQUILA
(SANTIAGO DE TEQUIL
HUITZILAPA
ANTONIO ESCOBEDO
(SAN JUANITO)
ESTACIÓN
MICRO ONDA
SAN JERÓNIMO
VOLCÁN DE TEQU
LAGUNA LA
COLORADA
LA PROVIDENCIA

RIO GRANDE DE SANTIAGO
PRESA SANTA ROSA
SANTA ROSA
AGUA CALIENTE
EL POTRERO DE SAN ANTONIO
LA TOMA
N
LAS NORIAS
AMATITÁN
LOS SANDOVALES
MEX 15
CERRO AMATITÁN
ARENAL
A GUADALAJARA
© DIBUJO: JOAQUÍN RUY SÁNCHEZ C.

Juo Lopez Sarmiento y Galeana

Phelipe Bonilla

Juan ... Belmi...

En el Pueblo de Thequita en dos ...
biem.e de mill setesientos sinquenta y ...
Correg.r aviendo visto las sitasiones ...
y ninguna consta contradision alguna ...
do, se pase por mi el espresado Correg.r a Co...
dho. y presentes las Personas de D.n Estan...
Joseph Maria Cordero, Joseph Man.l Pe...
lensuela, y partes Colindantes a las ...
Tolluca ...

El agave tenaz

MICROHISTORIA DEL TEQUILA: EL CASO CUERVO

Margarita de Orellana

La memoria del tequila,

una de las industrias más antiguas de México,

se entreteje con la historia de la bicentenaria Casa Cuervo.

La historiadora Margarita de Orellana

sigue la pista de esta excepcional perseverancia

en los archivos de la empresa y en la bibliografía

vieja y nueva sobre el tequila.

Documento de 1795. Licencia otorgada a José Guadalupe Cuervo para producir vino mezcal en la región de Tequila. Archivo Casa Cuervo.

Página 28:
Documento de 1758. Compra de tierras en Tequila por José Antonio de Cuervo. Archivo Casa Cuervo.

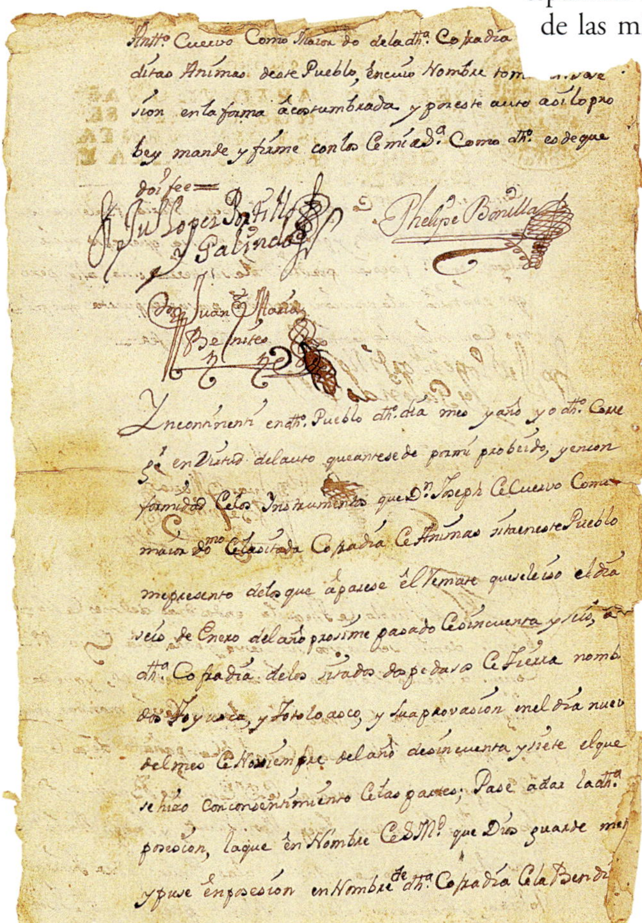

José Antonio de Cuervo y sus hijos, José María Guadalupe y José Prudencio, jamás imaginaron que los centenares de agaves azules que cultivaron en el siglo XVIII iban a multiplicarse por millones con el paso del tiempo. Tampoco vislumbraron que ellos serían los fundadores de una dinastía tequilera que iba a convertirse en una de las empresas más fuertes, hoy la más antigua del ramo. Durante los últimos 200 años la "Taberna de Cuervo" o "fábrica de sacar vino", ha cambiado de nombre varias veces. Sin embargo, ha tenido la suerte de que cada uno de sus propietarios haya hecho aportaciones no sólo a la propia empresa sino a la historia del tequila y a la historia de la región de donde toma su nombre.

Es sabido que el mezcal comenzó a cosecharse en la Nueva Galicia, concretamente en tres pequeños valles: Amatitán, Arenal y Tequila. Aún no hay documentación contundente sobre la fecha exacta en que los emigrantes españoles comenzaron la destilación de las mieles de los agaves de esta región. El historiador José María Muriá nos señala que, en 1621, se hablaba ya de una abundante cosecha a pesar de la prohibición de fabricar vino mezcal y otros aguardientes. Aunque también señala que a mediados del mismo siglo se estableció una reglamentación para ese cultivo, lo que produjo la creación del "estanco" para recabar impuestos, a la larga sumamente benéficos para las obras públicas realizadas en la ciudad de Guadalajara. Esos impuestos seguirían vigentes en el siglo XVIII y parte del XIX, incluso durante la estricta prohibición que impusiera Carlos III de 1785 a 1795. Cuál no sería la importancia de aquellos tributos provenientes de la producción de mezcal que Mota y Padilla pensaba, a mediados del siglo XVIII, que la construcción de la Universidad de Guadalajara podría financiarse con una parte de ellos.

Es posible que la Casa Cuervo, que en 1995 año celebró sus 200 años de existencia, haya nacido antes de 1795 y que sea, tal vez, una de las empresas más antiguas del país. No sabemos con certeza si José Antonio de Cuervo, que en 1758 había obtenido algunas tierras, en lo que hoy es Tequila, para sembrar diferentes cultivos, formó parte de aquellos contribuyentes que cosechaban agaves desde principios del siglo XVIII. Tampoco sabemos qué tanto le afectó la prohibición de Carlos III. Sin embargo, sí podemos precisar que su hijo José María Guadalupe Cuervo recibió de Carlos IV, en 1795, cuando ya había sido levantada la prohibición, la primera licencia para producir vino mezcal. Su hermano José Prudencio había adquirido en 1781, en plena prohibición, los potreros de la hacienda de Abajo, donde más tarde se instalaría la Taberna de Cuervo. La vida de estos Cuervo y la historia del pueblo de Tequila se comenzaron a entretejer cuando José Prudencio colaboró en la construcción del templo parroquial, realizada entre 1771 y 1775; y eso permite pensar que si bien obtienen la licencia de la fabricación en 1795, ya producían licor desde por lo menos mediados del siglo XVIII. Y lo que consiguen con esta licencia es ampliar el negocio al fabricar abiertamente su bebida. Un documento de 1801 establece lo siguiente: "…siendo subarrendatario del ramo de cribas (recipientes) de vino de este suelo en el quinquenio anterior (1795-1800) y lo es también en el presente (1800-1805) diga qué número de cribas pueden ser las que saca de este pueblo, a lo que José Guadalupe dijo: pueden ponerse 400 000 cribas en el año y en cada una se gastan tres cargas de leña". Para 1805, José Guadalupe Cuervo declara ser dueño de "la fábrica de sacar vino", la casa habitación y 12 potreros con centenares de miles de mezcales de las especies "chinos azules" y "manolarga". Para ese entonces la villa de Tequila se convierte en una de las poblaciones más ricas de la intendencia de Guadalajara, con una iglesia que "seguramente es la mejor que hay en toda ella", según un informe de finales del siglo XVIII.

Más tarde muere José Guadalupe dejando todas sus propiedades a sus hijos, don José Ignacio Faustino y doña María Magdalena de Cuervo. Ésta se casa con Vicente Albino Rojas, a quien cede la totalidad de sus bienes. Según Muriá, Rojas, partícipe del individualismo que caracterizaría después a muchos tequileros, no pudo resistir que el negocio llevara el nombre que le puso su suegro, Taberna de Cuervo, y lo bautizó como La Rojeña. Don Vicente impulsó la nueva taberna y multiplicó los bienes heredados por su esposa, aumentando considerablemente la producción, ya que distribuyó su vino mezcal no sólo en Jalisco, sino en muchas ferias

Etiqueta de la fábrica La Rojeña.
Principios del siglo XX.
Archivo Casa Cuervo.

y fiestas de otros estados como Aguascalientes, Zacatecas y San Luis Potosí. A mediados del siglo XIX La Rojeña era la más famosa de todas las tabernas de la región de Tequila y había logrado tener más de tres millones de agaves sembrados para la producción de su vino mezcal. El nieto de don Vicente, José López Portillo y Rojas, describiría con nostalgia, en un cuento llamado "Nieves", el ritual del pago de los jornales a los labradores de la creciente fábrica: "Mi abuelo sentado a la cabecera de una mesa de roble de dimensiones colosales y teniendo un escribiente a la diestra que leía las listas de raya, pagaba conforme otro dependiente iba voceando con fuerte acento el nombre del trabajador, el saldo de su cuenta y lo que tenía derecho a percibir en dinero, carne y maíz. Al efecto, hallábase la mesa llena de talegos de monedas de toda especie, y en jícaras de guajes y en sartenes de

Etiquetas antiguas de la fábrica de la Casa Cuervo en las épocas de Jesús Flores y José Cuervo, cuando la fábrica se conocía con diferentes nombres.

metal, ostentábase al descubierto otra buena cantidad de ellas, con gran asombro de los rústicos, que lanzaban a aquellos tesoros miradas extraviadas y respetuosas. Otros ayudantes se encargaban de distribuir el maíz por medio de medidas de madera que, después de colmadas, eran igualadas con un rasero. Un buey hecho cuartos y pendiente de los garfios de hierro de una armazón portátil, proporcionaba a los labriegos, mediante el filoso cuchillo de un carnicero panzudo, la apetecida ración de carne que la voz estruendosa del pregonero les decretaba".

La Rojeña, como las otras tabernas de la región, tuvo que enfrentar durante gran parte del siglo XIX la inestabilidad política del país causada por guerras internas e intervenciones extranjeras. El mismo López Portillo y Rojas señalaba que las exacciones de los revolucionarios de uno y otro bando de la guerra de Reforma mermaron la riqueza de su abuelo considerablemente. Sin embargo, un informe de 1843 describe así la villa de Tequila: "Por todas partes se elevaban columnas de humo que cual monstruos gigantescos arrojan al respirar enormes cantidades de vapor, por todas partes se ven campos sembrados del agave americano".

En el siglo XIX, tres industriales fueron los responsables del crecimiento de Cuervo: Vicente Albino Rojas, Jesús Flores y José Cuervo Labastida. En realidad este último dirige la empresa después de 1900, pero trabaja en ella desde finales del siglo anterior. Los tres estaban interesados realmente en las pequeñas localidades donde tenían su principal actividad económica. La destilación del tequila en su municipio era su fuente de riqueza. Como es lógico, es en este lugar donde ejercen cierta influencia política. Otros industriales habían ejercido su propio poder en la vida política de Tequila y en las regiones vecinas.

A don Vicente no le tocaría ver la llegada del ferrocarril con sus múltiples beneficios. Murió dejando su herencia a dos de sus hijas: Inés y María Rojas de López Portillo, quienes ceden La Rojeña a don Jesús Flores, propietario de las tabernas La Floreña y La del Puente, a la que más tarde nombró La Constancia. No sabemos cómo ni por qué La Rojeña pasa a manos de este nuevo propietario, sin embargo, volvió a impulsar la industria situándola como una de las más importantes de la región. Quizá imaginando lo que produciría la llegada del tren, don Jesús se preparó para ello. Además de haber expandido sus tierras, trasladó los hornos, molinos, tinas de fermentación y alambiques del antiguo edificio de José Prudencio Cuervo a la taberna La del Puente, que luego amplió. Con la llegada del ferrocarril, La Constancia remplazó sus mulas y recuas que transportaban el tequila a las ferias y aumentó considerablemente la cantidad de vino mezcal que era transportado a San Blas, a fin de ser embarcado a otras regiones del noroeste del país y quizá a Estados Unidos. Fue de los primeros tequileros en introducir innovaciones tecnológicas en el proceso de destilación del tequila. No pasó mucho tiempo antes de que pudiera ver los resultados de sus inversiones y de su modernización. En 1880 tan sólo en la ciudad de Guadalajara, había vendido aproximadamente 10 000 barriles, casi 660 000 litros.

Jesús Flores fue el primer industrial tequilero en envasar en frascos y botellones su tequila; hasta ese momento el licor se guardaba sólo en barricas de madera. Para agilizar el crecimiento de la empresa, don Jesús empezó a contratar personal que se ocupara de las diversas actividades agrícolas, comerciales y de distribución.

Para 1888, don Jesús había contraído segundas nupcias con Ana González Rubio, cuya hermana Virginia estaba casada con un empresario tequilero, Luciano Gallardo, cuyo padre era dueño de La Gallardeña. Durante diez años comparten su vida viendo prosperar su negocio. En 1891, el presidente Porfirio Díaz les otorga un diploma y una medalla de oro por la calidad de su tequila. Llevaban una vida activa en Guadalajara pero pasaban largas temporadas en Tequila, en lo que hoy es la Quinta del Refugio, propiedad suya que con el tiempo fue ampliándose. Don Jesús fallece a la edad de 72 y deja a su esposa como albacea y única heredera de sus bienes.

En 1900 Ana González Rubio se casa por segunda vez, con José Cuervo Labastida, caporal de La Constancia. El tequila se convierte entonces en el "tequila de José Cuervo" y la fábrica vuelve a adoptar su antiguo nombre de La Rojeña. Aparentemente José Cuervo era descendiente del viejo patriarca del tequila, por lo que recibió diversas patentes, privilegios y marcas: "gran fábrica de mezcal en Tequila de José Cuervo", marca industrial "Cuervo", y "La Rojeña". A principios del siglo XX, La Rojeña poseía cuatro millones de mezcales distribuidos en los potreros y en las fincas Santa Teresa, Lo de Guevara, Camichines, Santa Ana, Las Cuevas, La Camotera, Los Colgados, La Fundición, El Colorado, Las Marías, San Pedro y Guamúchil, entre otras. Contaba también con 280 mulas y machos para el tiro de sus carros de transporte y 112 yuntas.

José Cuervo da un gran impulso a La Rojeña y conquista los más altos premios en exposiciones internacionales como el Gran Premio de 1907, en Madrid y, en 1909, el Gran Prix en L'Exposition Internationale d'Alimentation et d'Hygiene en París, así como diez más.

Al casarse con José Cuervo, la vida cotidiana de Anita González Rubio no había cambiado mucho. Tenían una nueva casa en Guadalajara, y seguían pasando largas temporadas en Tequila, donde su presencia era muy apreciada por la cantidad de obras benéficas que habían hecho a la población. Su sobrina y futura heredera, Guadalupe Gallardo, narra en sus memorias la llegada de la pareja a Tequila, después de un largo viaje en carroza, de más de 12 horas, en el que, cuando los caballos se agotaban, para reanimarlos, los peones hacían buches de tequila y los lanzaban después con fuerza en las fosas nasales de las mulas, para que recobraran de inmediato su vigor: "Al llegar a Tequila, todo el ayuntamiento acudía a rendir homenaje a mis tíos. Al día siguiente el cura llegaba a informarles de la marcha de la parroquia y sus necesidades, lo mismo que la comisión y la mesa directiva del hospital a quien también ayudaban. José y Anita dotaron de agua a la población, arreglaron las escuelas municipales y parroquiales. Construyeron lavaderos bajo techo, las duelas para los pisos de la iglesia, regalaron un reloj público, tendieron una vía de tren para el servicio público, mandaron empedrar las calles y ampliaron la plaza de armas [...] Habiéndose llenado el cupo en el cementerio municipal, José Cuervo compró un terreno, lo cercó con muros, lo

ORDENANZAS DEL JUZGADO DE BEBIDAS PROHIBIDAS

Que para la extinción de las bebidas prohibidas, aguardiente de maguey, de caña de miel, cuatincata, ololinque, místelas, contrahechos, vinos de coco, sangre de conejo, vingüies, mescales, tepache, guarapo, vingarrotes y otras muchas aunque no estén especificadas en esta Ordenanza y que se fabrican y usan, con cualquier nombre que sea con semilla y de Árbol del Perú, piñas, pulque podrido, o corrompido, o de frutas de todas especies e ingredientes venenosos, para sólo el fin de embriagarse, haya un Juez Privativo General con toda la jurisdicción necesaria civil y criminal que pueda y debe exercer en todo este Reyno y distritos de esta Real Audiencia de Nueva España y de la Guadalaxara, o Nueva Galicia, y proceda contra todos los fabricantes, vendedores y consumidores de ellas, y contra sus receptadores, encubridores, aguadores o autores.

Aguardiente de caña. 1820.

regaló al municipio, con la condición de que los humildes pudieran dar sepultura a sus deudos sin costo alguno; el municipio se olvidó de la promesa". Con todo esto era lógico que José Cuervo tuviera una considerable influencia política, como también la tuvieron otros industriales tequileros como los Sauza, los Romero, los Orendain, etcétera. Es casi natural que entre estos grandes hubiera diferencias de opiniones políticas, lo que ocasionaba disputas y rivalidades. Era famosa la querella entre los partidos liberal y conservador, el primero encabezado por la familia Cuervo y el otro por los Sauza. A principios del siglo XX, cuando el tequila había alcanzado un alto nivel industrial, estas prominentes familias optaron por diversificar sus economías. Algunas invirtieron en bienes raíces, otras en minería, en la industria textil o en la molienda de trigo. José Cuervo, tenía ganado en su hacienda de Atequiza, y cultivaba, además del agave, trigo, frijol, maíz y garbanzo.

La vida en Tequila seguía su curso a principios del siglo XX sin que nadie imaginara que se avecindaban una crisis económica y una revolución. Según Guadalupe Gallardo, la existencia en el pueblo no era tan tranquila como parecía: "Todo señor que se respetara a sí mismo traía siempre una pistola con funda de cuero claveteado y llevaba un cinturón ancho con el arsenal necesario. Sus rencillas las aclaraban a altas horas de la noche, guardando una actitud pacífica durante las serenatas, aunque recuerdo que frecuentemente oía disparos lejanos desde la plaza, pero salía a relucir la consabida frase: 'Es un envalentonado que gusta de vaciar al aire su pistola'."

Cuando se inició el siglo XX, los tequileros que no se habían modernizado tuvieron enormes dificultades. En 1910, de las 87 destilerías de mezcal y tequila de Jalisco sólo se habían salvado 32. La Rojeña no tuvo esos problemas y su importancia era tal que su administrador, José Cuervo, casi se convierte en gobernador de Jalisco durante el gobierno de Francisco León de la Barra, cuando Manuel Cuesta Gallardo se vio obligado a renunciar y fue sustituido por David Gutiérrez Allende. Quién sabe qué hubiera sucedido con La Rojeña si Cuervo es elegido.

En 1914, las fuerzas revolucionarias amenazaban con saquear Guadalajara. Virginia Gallardo, futura heredera de Cuervo, estaba casada con Juan Beckmann, cónsul alemán en esa ciudad. Junto con otras personalidades formó parte de la comisión parlamentaria que pidió a los revolucionarios que tomaran la ciudad sin derramar sangre y también entregaran la plaza sin resistencia. El gobernador, José María Mier, general del ejército federal, tuvo que salir de la ciudad, y sus hijas fueron a esconderse en casa de doña Virginia. Poco después murió en El Castillo, donde los revolucionarios aniquilaron al ejército huertista.

Como escribió Ramón Charles Perles, primer historiador de Casa Cuervo, cuando las tropas revolucionarias ocuparon Guadalajara, además de consumir grandes cantidades de tequila Cuervo, se llevaron carros enteros con barricas. Estaba de moda tomar los toritos de Jalisco, tequila Cuervo con refresco de canica. Los hombres del general Julián Medina bebieron infinidad de toritos antes de volar un puente del ferrocarril. En 1921 muere José Cuervo, con lo que termina su labor en el gran negocio de su vida. Nuevamente queda al frente de la fábrica Anita González Rubio.

Diploma y medalla otorgados en Italia a la fábrica La Rojeña por la alta calidad de su producto.

Página anterior:
Anita González Rubio y José Cuervo, *ca.* 1900.

En el siglo XX aparecen cuatro empresarios que, lo mismo que sus antecesores del XIX, no dejan de impulsar el crecimiento de esta empresa. Se trata de Guillermo Freytag Schreir y de su hijo Guillermo Freytag Gallardo. Más tarde serán administradores y herederos de Cuervo, Juan Beckmann Gallardo y su hijo Juan Beckmann Vidal.

Cuando Lázaro Cárdenas hizo el reparto de tierras, Anita González Rubio vio afectadas muchas de sus propiedades. Por ejemplo, su hacienda de San Antonio del Potrero, con casi 10 000 hectáreas, se redujo considerablemente. A raíz de estos cambios, en 1929 sólo quedaron en Tequila ocho destilerías, entre ellas la de la señora González Rubio, dos de los hermanos Sauza y otras de distintos propietarios. Pero los años de la década de 1930 no fueron muy prometedores.

En 1934, Guadalupe Gallardo hereda los bienes de su tía Anita. Guillermo Freytag Schreir administraría hasta 1957 Tequila Cuervo, S.A. Como se preveía, la década de 1930 resultó muy dura para la mayor parte de los tequileros. Sin embargo, Cuervo resistió hasta que el mercado se reactivó con la llegada de la segunda guerra mundial. En 1957, Guillermo Freytag Gallardo ocupa la gerencia general, cargo en que permanece hasta 1964. Juan Beckmann Gallardo, nieto del industrial tequilero Luciano de Jesús Gallardo y sobrino nieto de Guadalupe Gallardo, continúa al frente de Cuervo manteniendo el mismo impulso industrial de sus antecesores. Su madre, Virginia Gallardo de Beckmann, muere dejando a sus cuatro hijos, Juan, Jorge, Carlos y Oskar, la herencia de la empresa y demás propiedades.

Finalmente, en la actualidad Juan Beckmann Vidal, además de mantener la empresa a la cabeza de las demás, sobre todo en lo que respecta a la exportación, es impulsor de los grandes avances tecnológicos que Cuervo está realizando en Jalisco. Con un laboratorio especializado en micropropagación del agave se busca fortalecer la planta y concentrar los niveles de sus mieles para lograr rendimientos mayores.

Así como los Cuervo del siglo XVIII no imaginaron lo que sembraban para las generaciones siguientes, hoy, la misma empresa entabla una carrera contra el tiempo.

El gusto por el tequila aumenta cada día y los agaves deben multiplicarse aún más. Por ello Cuervo también tiene que mirar hacia el pasado y rescatar del olvido su memoria bicentenaria.

Margarita de Orellana, doctora en historia por la Universidad de París, autora de los libros *La mirada circular, el cine norteamericano de la Revolución mexicana 1911-1917*, 1991; *Imágenes del pasado: el cine y la historia*, 1985; *Villa, Zapata y la Revolución mexicana*, 1988, y *La mano artesanal*, 2002. Es coautora de los libros *Guerres Révolutionnaires au Cinéma*, 1984; *The Social Documentary in Latinamerica*, 1990; *Cinematic Encounters in the Americas*, 1993, y *Mediating Two Worlds*, 1994.

El agave laborioso

A CABALLO ENTRE DOS TIEMPOS

MAGALI TERCERO

El pueblo de Tequila, en Jalisco, conserva aún la memoria de un modo de vida que está perdiéndose en el campo mexicano. A caballo entre dos tiempos, los campesinos y trabajadores del tequila tratan hoy de incorporar nuevos métodos y tecnologías de cultivo. En este reportaje presentamos los testimonios de hombres y mujeres cuyas vidas transcurren bajo un cielo intensamente azul, volcadas en el trabajo de una tierra también azul de tanto agave.

De pronto, sacudiéndonos de la duermevela, el coche vira suavemente, como si fuese un caballo habituado a su camino, hasta detenerse en un recodo de la carretera. "Lo jala la querencia", dice uno de los ingenieros que nos conduce a Tequila. Ante nosotros se halla una construcción de ladrillo, un amplio galerón amueblado con mesas y taburetes hechos con troncos, en la sección ranchera, como lo llamaron nuestros guías, y con mesas y sillas cerveceras en el ala moderna: el restaurante favorito de los trabajadores del tequila que viajan constantemente entre la ciudad de Guadalajara y el pueblo.

Al entrar distrae nuestra atención una escena poco habitual en nuestra vida cotidiana. "Miren ese potrillo", dice otro de los ingenieros de la fábrica de tequila. Justo detrás de nosotros, tres jóvenes rancheros, con sendos sombreros y chaparreras, corren tras un caballo rebelde que va de un lado a otro del campo. Horas más tarde conoceré a El Zarco, leyenda viva de Tequila, célebre en su juventud por su apostura, un hombre alto, aún guapo, de 86 años. Le brillan los ojos de gusto cuando comienza a charlar sobre sus años mozos. "Trae las fotos que tengo allá arriba", ordena a uno de sus nietos. Y entonces, por obra y gracia del arte del retrato cobra vida otro Zarco. El joven esbelto y erguido que, montando una hermosa potranca, mira orgulloso hacia la cámara. Lleva sombrero y chaparreras. "¿Ve usted? Así vestía yo en el campo", dirá, fijando en fotógrafa y reportera sus grandes ojos azules.

Un día antes me he enterado, en entrevista con Juan Beckmann Vidal, actual presidente de Tequila Cuervo, que El Zarco llegó a aparecer en un anuncio de la compañía publicado en una revista para caballeros. En cierta ocasión, alguien que había conseguido un ejemplar de la revista estadunidense, le dijo: "Pero Zarco… ¡aquí estás con las muchachas más bonitas de la tierra!"

Cuenta Beckmann Vidal que en los pueblos ponen a los niños a trabajar muy pronto. "Fortunato Hernández, que es como se llama El Zarco, tenía a su cargo a mi padre, a pesar de que era más chico que él. El famoso Zarco tenía la ventaja de ser de las gentes que todo mundo quiere en el pueblo y en los ranchos. Éstos eran muy grandes, algunos con más de 30 000 hectáreas, todas alrededor de un grupo de cinco o seis haciendas, y él conocía hasta el último recoveco, por lo que podía llevar a mi padre a montar a caballo. En la época de mis abuelos habían muchas gavillas de asaltantes y, además, como éramos de familia alemana y apenas había terminado la segunda guerra mundial, los hombres de la casa tenían que cuidar dónde andaban. Todavía hace 30 años a mí me tocó vivir bajo la consigna del 'nunca te pongas de espaldas a una ventana'.

"De mis tíos, Guillermo Freytag era el de temperamento más fuerte. Era un personaje: se levantaba siempre a las cuatro de la mañana porque tenía que estar en los ranchos antes de que la gente se despertara. Para poderse bañar hacía derretir una barra de hielo en el tinaco de su regadera. Después se iba a la planta con un puro grandote en la boca, se dirigía a donde estaban destilando el tequila y se tomaba dos o tres caballitos. La primera obligación de El Zarco era llevarle una bolsa llena de naranjas y una botella de tequila, porque a mi tío le gustaban mucho. Así que salía en la mañana a eso de las cinco, para llegar a las seis y media a uno de los ranchos. Normalmente regresaba a Tequila a las dos de la tarde, se sentaba en la paletería y, como era grandote de verdad, pedía no una paleta de nieve sino una charola de 25 o 30. O si se topaba con el de las pitayas, que son como tunas rojas, él compraba la cubeta. Mi tío era tan alto y fuerte que siempre se llevaba dos mulas, porque una no lo aguantaba, y recorría los ranchos a trote rápido. En esa época había mucho venado en el campo y él, que era muy buen cazador, ponía a El Zarco a que correteara a los animales, así no los mataba cuando estaban quietos. Y así era la vida de El Zarco con nosotros. Luego, cuando llegué a vivir a Tequila, por allá del 64 era él quien me cuidaba las espaldas. Era muy útil la gente como Fortunato, que de tanto andar por las haciendas conocía todos los recovecos y a todos los rancheros. Es toda una leyenda ese famoso Zarco".

El Zarco. Trabajador destacado, ahora jubilado, de la Casa Cuervo desde que Guadalupe Gallardo era la propietaria, *ca.* 1930.

Página 36:
Paisaje de Tequila.

Página siguiente:
Roberto Hernández frente al horno de la fábrica de tequila Cuervo, 1994.

Para Juan Beckmann, en ese entonces heredero de la fábrica y muchacho de ciudad, la vida en el campo significó ingresar a otro ámbito, un ámbito en donde el tiempo parecía haberse detenido y en el que vivió tres años muy gratos que, entre otras cosas, le sirvieron para conocer desde dentro el oficio del tequila, pues ejerció todos los trabajos de la fábrica. Los recuerdos fluyen uno después de otro. Habla de las visitas diarias a los ranchos a lomo de caballo. Del pueblo del agave, entonces incomunicado. De aquel día soleado en que llegó a Tequila con su flamante esposa regiomontana. De cómo ella, atemorizada, le dijo: "Oye, pues a dónde me traes". De cómo esa misma noche, cuando fueron a la misa de las siete se sentaron uno al lado del otro en las bancas de adelante, a esperar que iniciara la misa. Pero nada ocurría. En la iglesia sólo reinaba un gran silencio y los feligreses comenzaron a mirarlos con insistencia. Frente al altar, el sacerdote permanecía de pie, mudo e inmóvil. "Pues qué nos verán", se preguntaba la pareja. Hasta que alguien se atrevió a informar: "Oiga, es que está usted sentado junto a su señora. Aquí en la iglesia los hombres van de un lado y las mujeres del otro".

Y así continúa una charla en la que Beckmann, narrador de sintaxis y giros sabrosos, me comunica vívidas sensaciones de su pasado. Todo lo que relata queda en mi mente como una imagen memorable. Me cuenta sobre los mejores trajes de charro con botonaduras regias, sobre los mejores caballos y las mejores sillas de montar. Y platica cómo todos los hombres del pueblo andaban armados y a caballo. "Gente muy bien parecida la de Jalisco", comenta pensativo. Me cuenta que él y su mujer compraron la primera televisión del pueblo de Tequila. Que los chiquillos se arremolinaban junto a las ventanas y se colgaban de las cornisas para ver qué estaba pasando con aquel extraño aparato. "Vivíamos en la fábrica y el horario se rompía de dos a cuatro de la tarde para comer y hacer la siesta. Durante ese lapso el pueblo parecía muerto", relata Beckmann.

MÉXICO FLORIDO Y ESPINUDO

Cuando el pueblo no dormía cantaba otro gallo. Lo confirmo en las conversaciones con los campesinos de Tequila, gente que en algún momento termina refiriéndose a las fiestas populares y a los paseos dominicales por la plaza y que nos habla de Fortunato, Ceferino y José, las tres leyendas vivas del pueblo. Rumbo a Tequila los ingenieros nos van contando sobre su relación con los campesinos mientras afuera puede verse horizonte a lo largo y a lo ancho, el cielo intensamente luminoso y los cerros azules de tanto agave. "México florido y espinudo", escribió Neruda. Y allá lejos, rumbo a los potreros o sembradíos de magueyes, pequeñas flores lilas, rojas y amarillas parecen asentir.

La fábrica se encuentra muy cerca del Zócalo del pueblo, en la casa que habitara la familia Cuervo. Una vez allí todo se organiza rápidamente. Nos entregan el casco protector que llevan todos los trabajadores de la fábrica. Lo primero que presenciamos es una especie de danza que ejecutan diariamente los cargadores de los hornos de la fábrica. Cuatro esbeltos tipos de rostros morenos y

bigotes oscuros que se protegen la cabeza con un sombrero plano de vaqueta, relleno de borra; adornados con un cinturón ancho que estiliza aún más los cuerpos flexibles y protege la espalda. Cuatro hombres muy jóvenes que gustan de su trabajo, como dijo uno de ellos, "porque es muy físico", y que llevan con garbo las enormes piñas de agave azul cortadas por la mitad, la materia prima del tequila que naciera de la vida campirana en el Virreinato. Tan antigua es esta bebida que todavía hoy mis entrevistados, aun los menores de 40 años, nombran vino al tequila, como hace más de dos siglos. Y llaman tequio a cualquier tarea por realizar, así sea la de comerse los 18 tacos de carne colorada que preparan las mujeres en casa, o los trabajos en el campo que le corresponden a cada uno. Los nacidos en Tequila se han visto involucrados en el oficio a lo largo de generaciones. El abuelo, el hijo y el nieto solían heredar los puestos en las fábricas, aunque ahora la mayoría prefiere que la prole estudie en Guadalajara. "Toda mi familia ha trabajado aquí: mi abuelo, mi papá, y ahora yo. Primero trabajé sembrando en el campo, ahora estoy de cargador y después me gustaría ser alambiquero", me dice José Manuel Solís.

Página 41:
Escenas de la jima en la zona entre Tequila y Amatitán.

Página 42:
Rodrigo Castañeda en el potrero de Todos Santos.

"Vamos a casa de El Zarco —me dice Elba Margarita Sandoval, del departamento de Recursos Humanos. A ver cómo está hoy. Tiene días buenos y tiene días malos desde su embolia". El Zarco vive a unas cuantas cuadras de allí. "Mire —dice refiriéndose a su convalecencia— después de seis meses de tratamientos ya puedo caminar. Hago mis ejercicios todos los días y estoy muy repuesto", exclama al tiempo que señala una pequeña mesa en donde hay varios objetos de madera. "Le dediqué al tequila 60 años de mi vida. Siempre estuve en los campos, los potreros y la fábrica. Comencé a trabajar desde chamaco porque murió mi padre, Facundo Hernández, y mi madre pensó que era bueno venirnos para Tequila. Ella entró a servir en la casa de doña Anita González Rubio de Cuervo, la dueña de la fábrica, y como no quería alejarse de sus hijos nos trajo a todos. A los diez años ya me pagaban como a un hombre, y mi trabajo era cuidar borregas y chivitas. A los 13 años me mandaron con el esposo de doña Anita. Y así anduve de vaquero, con los estribos, acompañando al patrón por todas las haciendas tequileras. El recorrido comenzaba en Huitzizilapa, luego seguíamos hacia Santa Teresa, San Antonio del Potrero, Camichines y al final Santa Ana". "¿Y qué hacía con su dinero, Zarco?". "Hummm… me compraba dulces, unas bolitas hechas con leche que llamaban charamuscas. También me iba al cine, me gustaban las películas americanas de aventuras. Mi mamá me daba quince centavos a la semana. Y además, como parte de la raya, nos daban de regalo maíz y dos kilos de frijoles.

"Me acuerdo de los nombres de todos los potreros: San Pedro, Guamúchil, Tepehuatl, El Rodeo, El Órgano, La Cumbre, La Presa, San Antonio, El Tezontle, El Pasto. En cada uno había cuadrillas de 30, 40 o 50 hombres. Limpiábamos el agave y nos íbamos a otro potrero. Nos pagaban a 3.50 el millar. Un hombre solo tardaba tres días en limpiarlo. En mis tiempos había unas seis cuadrillas, y todos los trabajadores vivíamos en las casas que nos hacía la Casa Cuervo, unas construcciones grandecitas de teja y adobe, con piso de tierra. Nuestros muebles eran sencillos: sillas de tule, camas de madera con *tapeixtles* [petates], que les nombran. Guisábamos con leña y comíamos la comida ranchera: pollo asado, rostizado o cocido con arroz, carne asada o en salsa roja, requesón, tortillas, frijoles, blanquillos, chorizo asado y nuestros tragos de tequila. Estábamos bien alimentados pues sin comer no hay buen rendimiento. Por las mañanas tomábamos nuestra lechita caliente, de vacas buenas porque la Casa Cuervo tenía como diez mil cabezas. Había un rancho que llamaban El Orito, y otro conocido como La Joya, ranchos de puro ganado. La vida del campo empezaba a las cinco de la mañana y terminaba a las nueve de la noche. No había luz, usábamos unos botes con cera y les decíamos aparato. Figúrese, en Tequila hubo luz primero que en Guadalajara".

El Zarco me cuenta anécdotas de los dueños de la fábrica, con quienes tuvo trato frecuente. Me habla de una mujer bien conocida en Tequila, tía de Juan Beckmann Vidal y uno de sus primeros ejemplos de disciplina, según me contará después: Lupe Gallardo, antigua dueña de la fábrica y la primera a quien sirvió Fortunato en su empresa. Él comenzó como estribo y acompañaba a los señores a todas partes. José Fernández, gerente general de la Consultora Regional del Agave, un poco mayor de 60 años, también me habla de ella. "¿Conoce el balneario de La Toma, a unos kilómetros de aquí?", me pregunta. "Allá iba a descansar doña Lupe con un séquito de personas a su servicio. Cuando venían se cerraban las puertas del balneario. Y cuando iban a la misa del domingo se les apartaban a ella y a sus gentes las dos bancas de adelante. Ella pavimentó las calles y ayudó a construir la iglesia, pues le gustaba mucho hacer obras de beneficencia".

Antes de irme a Tequila he leído dos libros que ella escribió sobre su vida. La he sentido como habitante de un mundo muy distante a causa de la morosidad de las descripciones, la firmeza de los valores morales y el juicio recto de los caracteres de sus contemporáneos. Por eso me asombra que José, aún joven, me hable de ese mundo. "¿Qué época le gusta más, la de su juventud o la actual?", le pregunto a El Zarco. Y él, mirándome con sus ojos azules, me contesta: "Las dos épocas me gustan. Todo el asunto es que sepa uno vivir a gusto la vida".

CEFERINO, EL JIMADOR MÁS VELOZ DE LA REGIÓN

En el momento en que El Zarco dice esto, Gloria, una de sus seis hijas, asiente. También ella tiene sus mezcales, que cultiva y vende a la fábrica. "El kilo lo pagan a 650 pesos", dice, "aunque cuando llueve es más barato porque le baja lo dulce. Es un trabajo de tiempo porque el agave tarda hasta ocho años en madurar". Gloria se apasiona con su trabajo. Es la única de los hijos del Zarco que le encontró sabor al oficio tequilero. "A ella le gusta", dice riéndose Fortunato, "hasta parece hombre". Después Ceferino, la otra leyenda viva de Tequila, me dirá: "Aquí en nuestra región nunca se ve una mujer. Toda-

vía tenemos las ideas antigüitas. Cuando vemos una decimos: '¡Pos mira ésta…!'." Ecos de un mundo que comienza a desaparecer. Y una acumulación de sucesos que El Zarco guarda en su memoria. Como aquel lejano domingo en que, paseando por la plaza principal, hace 60 años, dijo un piropo a una chica rubia al cruzarse con el grupo de risueñas muchachas que caminaba en sentido contrario al de los varones. "Y entonces ella sacó de entre su peinado uno de esos alfileres que usaban por entonces y me pinchó con él".

Al día siguiente tengo cita con Ceferino y con Juan Enrique Martínez. El primero está considerado entre los viejos campesinos más respetados de Tequila; el segundo es uno de los mejores ingenieros agrónomos de la zona. Son los representantes de dos generaciones que desde hace tiempo buscan el cambio. Ceferino y Juan Enrique hicieron equipo hace dos décadas, cuando el último andaba en sus 19 años y comenzaba a destacar en la compañía. Deben tener grandes afinidades porque han hecho una sólida amistad, pese a que al joven le tocó enseñar nuevas cosas a un hombre treinta años mayor que él.

"Me inicié como supervisor de campo y tenía a mi cargo todo el estado de Jalisco", me cuenta. "Ceferino era uno de mis inspectores. Me ayudaba a realizar los trabajos: cosechas, plantaciones, manejos de personal, hacer estimados de presupuesto, compras. Ahora ya tengo una pequeña fracción de tierra y empiezo a cultivarla, aunque los problemas son más trabajosos porque hay bastante agave y muchos compromisos".

Ceferino, nacido en 1924, interviene: "Para mí fue diferente. Empecé jimando el mezcal, luego pasé a los ranchos, y después me hice cargo del personal. Me entendía con todos los trabajos que se hacían en las haciendas. Luego comencé con Juan Enrique, que se ve muy serio pero es porque se aguanta la risa. Luego luego amigamos, él hacía los estimados de cosecha más rápido que yo. Nunca salimos de pleito. Y cuando él ya se iba a casar yo le daba sus consejos. En mi época usábamos tener muchas novias antes del matrimonio, pero ellas nos despedían al saber de sus rivales. Me daba el lujo de conquistar a las muchachas, porque en mi época yo no estaba gordo. Pesé 63 kilos cuando jugaba deporte y hacía la jima". Mi siguiente pregunta le provoca una gran sonrisa. "Me casé con la más bonita y lo sigue siendo. Ella anda en los 66 y yo en los 70 años. Me casé de 27 cumplidos. Ya había andado mucho y llegué al matrimonio con mucha experiencia. No fui un esposo maloso. Y a mis muchachos los regañaba. 'Quihubo, quihubo, qué tráis, les decía'. La familia de Emilia, mi mujer, estaba compuesta por arrancadores de los hijuelos del agave. De jimar y de barbear, nada. Recuerdo que la cabeza del agave la nombraban naranja o toronja, según su talla. Antes su tamaño se medía en términos de medias varas o dos tercias de vara. Siempre estábamos en el trabajo al amanecer y luego decíamos 'ya se hizo hora del lonche' y poníamos la lumbre". Ceferino era el jimador (cortador de las hojas del agave) más veloz de la región. "Bendito sea Dios, yo era muy rápido para la jima. Creo que en la época que trabajé en eso, entre los 18 y los 27 años, nadie me llegó a ganar en la región de Tequila ni en Amatitán ni en Arenal. Un hermano mío y yo nos íbamos juntos a competir en parejas.

"Nunca nos ganaron. Íbamos a El Arenal y siempre lográbamos el triunfo. Apostábamos dinero. Llegaba alguno del pueblo y me decía: 'Yo te apuesto tanto a que mi hijo te gana'. Y allá iba yo: 'Pues échamelo pa'cá'. Me jalaba a Justino, mi hermano, y le decía 'es bueno dar todo lo que esté de nosotros'. Por esto nunca nos ganaron. Ya después, cuando yo dejé de trabajar, un sobrino mío salió muy bueno para jimar. De repente no había otro igual en toda la región, así que continuó la tradición de la familia".

Digo a Ceferino: "¿Qué cualidades requiere un buen jimador?". "Caramba, qué pregunta", suspira Ceferino, inhalando aire con sus pulmones de hombrón robusto y recio. "Hay que tener tacto para saber cortar la piña, para cortarle las hojas. Hay que hacerlo en un solo golpe y a la misma medida que va a quedar la piña, porque si yo no sé el oficio y le doy más alto, entonces tengo que repetir otros dos golpes para emparejarla. Eso lo nombramos nosotros como no errar un coyazo, que quiere decir no repetir el golpe en el mismo lugar". "¿Y qué requiere más fuerza, insisto, el trabajo del cargador del horno o el del jimador?"

Ceferino piensa un momento, me mira serio como acostumbra cuando lo ocupa algo importante, y contesta: "Le voy a responder con una broma que nos hacía don Enrique Orendain, muy buen patrón y muy bromista. A él le gustaba salir al campo cuando empezaba la jima. Llegaba a las haciendas y luego que le dirigía la palabra a uno, decía: 'Así andas empapado porque te echaste un balde de agua. Quieres que tus hermanos te miren y digan que trabajas mucho, ¿verdad? Ésas eran sus bromas porque el jimador se baña de sudor cuando anda en el campo. El de jimador y el de cargador son trabajos muy diferentes, pero se pueden calificar casi

LOS NIÑOS, LAS MARIPOSAS Y LOS GITANOS

Existe en Tequila una pequeña mariposa, o palomita, que puede convertirse en la peor plaga del agave y que preocupa mucho a los campesinos. Para combatirla, hace 30 años, los tequilenses acostumbraban mandar al campo a los niños, armados con hilo y aguja. Yo veía cómo salían en bandada los chamacos a buscar las palomitas entre juegos y bromas. Cada vez que encontraban una la ensartaban con la aguja y la empujaban hacia abajo. Así quedaba literalmente atravesada por el hilo recio que usaban. Los más abusados regresaban con su pedazo de hilo lleno de mariposas, que por entonces deben haberles pagado a unos cinco centavos cada una. Otra gran diversión de los niños eran los gitanos, que llegaban por temporadas en sus carros y ponían sus tiendas. El verano transcurría, así, en medio de funciones de cine, de circo y acrobacias y grandes enamoramientos. Porque los niños más crecidos, los adolescentes y los adultos enloquecían con las gitanillas. Terminaba el verano y ellas les destrozaban el corazón con su partida dejándolos, además, muy pobres, pues se habían aplicado mucho para obtener regalos costosos, en especie o en dinero.

JUAN BECKMANN VIDAL

igual porque todo depende del tequio, la tarea que se le dé a otra persona. Por ejemplo, aquí pueden estar cuatro que anden jimando, y el encargado de la compañía ordena que les den 15 toneladas para todos. Con el cargo es lo mismo: si el tequio es liviano lo puede hacer solo; si es pesado, si es trabajo calificado, como este que piden las piñas de más de cien kilos que hay ahora, se reparte el tequio. Si el cargador no tiene el modo de levantar, la experiencia, el colmillo y la fuerza, pues no lo hace. Toda esa piña se carga en la cabeza, y todavía hay que caminar y llevarla al horno. Además, depende del lugar. Aquí en el patio de la fábrica todavía es más fácil, porque es terreno franco, de cemento; pero en el campo, y como ahorita que son tiempos de agua, te puede pasar que se te sume un pie, que te andas resbalando. Podemos decir que hacerlo es una obra de arte".

"¿Y cómo es para ustedes un agave bien sano, bien bonito. ¿Cómo se ve?" Los dos se miran con ojos luminosos. Contesta Ceferino: "El secreto está en su desarrollo. No tiene que tener nada de plaga en la penca, debe estar bien azul. Luego irse desarrollando y crecer rozagante. Hay mezcales que llegan a un peso de 130 kilos y hace poco vimos una planta que sorprende ver porque llegó a los 150 kilos por los nuevos métodos que se usan. Influye que el hijuelo sea de buena calidad. Antes teníamos nuestras señales a la antigüita. Nos decían 'arranque semillas de media vara, de unos 50 centímetros, que esté bonita'. Desde siempre, desde que empezamos a trabajar, le dije a Enrique: 'Yo, a la antigua'."

Los ingenieros agrónomos y los viejos campesinos viven un momento de transición. Las fábricas se modernizan, los términos para designar el oficio van de una generación a otra. Pero el placer del tequila continúa intacto. Mario Alegre, director administrativo de Cuervo, y el ingeniero Luis Alberto Rendón, iniciador de nuevos métodos de intervención genética en el agave, como la clonación, me cuentan acerca del forcejeo de generaciones que ha significado el cambio desde la década de 1960. "Cuando me nombraron contador de la compañía en Tequila me tocó confrontarme con el administrador. 'Mire jovencito, me dijo al tiempo que abría un cajón, aquí hacemos las cosas a nuestra manera'. Y entonces vi sobre su escritorio una pistola que tenía el tamaño del cajón". Esto ocurrió hace 35 años. Hoy jóvenes y viejos buscan hacer equipo y transmitirse los unos a los otros sus particulares saberes sobre el tequila. En realidad el pueblo de Tequila vive a caballo entre dos tiempos.

Magali Tercero, periodista y escritora. Ha colaborado en el diario español *El País*, en el suplemento cultural *La Jornada Semanal* y la revista *Mandorla*. Ha publicado *Nudo de grafito*, cuaderno colectivo de poesía (UNAM). Fue jefa de redacción de *Artes de México*.

de Amatitan

EL PROCEDIMIENTO ANTIGUO DEL TEQUILA

JOSÉ LÓPEZ PORTILLO Y ROJAS

...Éste es el horno. Para cocer el mezcal levántase en el fondo una pirámide de leña encendida; en torno de ella colócanse las cabezas partidas de una manera simétrica, hasta llegar a la superficie del suelo; en seguida se tapa el horno y se saca el mezcal ya cocido, o tatemado, que ha cambiado de color, pues de blanco que era se convierte en amarillo oscuro.

Cocido el mezcal, se lleva a la tahona, espacio circular de cantería donde se mueve una enorme y pesada piedra en forma de rueda, la cual gira en torno de un eje. Una yunta de bueyes se encarga de dar movimiento a la grosera máquina. La rueda, los bueyes y el conductor —descalzo y con el calzón enrollado hasta la rodilla—, dan vueltas y más vueltas sobre el mezcal, que molido y triturado de esta manera, suelta la miel que contiene, con la cual muy pronto rebosa la tahona.

Fragmentos del cuento “Nieves”, *ca.* 1880.
Ilustraciones de Luis Vargas.

Los operarios recogen aquel jugo sin apartar el bagazo, en grandes cubetas que vacían en pipas enormes. Hecho el fermento al cabo de algunos días, se extrae el mosto y se escancia en ollas destinadas a la elaboración de alcohol, las cuales se muestran empotradas en gruesos pretiles de cal y canto. Bajo ellas hay hornos de viva lumbre.

Entrando el mosto en ebullición evapórase su parte alcohólica, y se deposita en la superficie exterior del fondo de un cazo de hierro o cobre colocado en la parte superior de la olla y a cierta distancia. Cuídase de que este cazo se mantenga constantemente frío por medio de una corriente de agua que le baña por la parte de arriba; así se obtiene que el vapor espirituoso se condense y que corra el alcohol humeante y en forma líquida por una canaleja adherida a la parte libre del bordo metálico. El líquido que se recoge es el famoso aguardiente de Tequila, que tibio es dulce y no quema la boca; embriaga fácilmente y se llama tuba.

El agave edénico

LOS JARDINES EN LA TIERRA DEL TEQUILA

Juan Palomar Verea

En las haciendas tequileras se han construido jardines que son, en el paisaje agreste que los rodea, evocación de un lugar ideal: utopías vegetales. El arquitecto jalisciense Juan Palomar nos los presenta en sus dimensiones real y simbólica.

Un jardín condensa, de manera impar, lo que un lugar es y puede ser. Es una mezcla indisoluble de los frutos que un particular suelo es capaz de alentar gracias a la voluntad y el trabajo de los hombres. Un jardín es la traducción, por medio de la intrincada escritura vegetal, mediante el paso rítmico y puntual de las estaciones, del aire del tiempo, del espíritu de un lugar, de la esencial naturaleza nutricia de un clima y de un cielo. Un jardín no es una metáfora: es, en sí mismo, revelación y lenguaje.

Quinta del Retiro, propiedad de Anita González Rubio a fines del siglo XIX, y después de Lupe Gallardo. Actualmente es la Quinta Sauza.

Página siguiente:
Jardines de la Hacienda de San José del Refugio (arriba y centro).
Jardín de la Quinta del Retiro (abajo).

Los jardines contienen en su más íntimo reducto la evocación inmediata de un pasado ideal, de un paraje arquetípico fijado por siempre en la memoria de la especie, en el cual la existencia discurre serena y placentera. Al mismo tiempo convocan, mediante el artificio que los hace posibles, a la utopía: al lugar que no es, al lugar que será, en un futuro entrevisto y elusivo. Un jardín convoca al mañana. Y, por esa llamada, con el tácito establecimiento de su utopía vegetal y aérea, el jardín realiza la crítica —y el oblicuo retrato— del mundo que irremediablemente lo cerca. Porque todo jardín que lo sea está final y fatalmente sitiado. Porque todo jardín presta materia y figura al deseo.

Pero, sobre todo, el jardín, con su presencia corpórea, densa, inmediata, abarcadora, encarna "lo otro": lo que, por la existencia misma de su ámbito, escapa a lo cotidiano y sus servidumbres. En el jardín los días se transfiguran.

II

Los jardines que en el país del tequila existen no necesitan albergar en ellos el emblema final que los sustenta: no por eso está menos presente el impávido resplandor de las espadas que el agave enarbola. La irreductible silueta belicosa que el lomerío multiplica y tremola. En los rincones más inesperados, en los más recónditos pliegues que el jardín guarda, aparece siempre el agave, y con su gesto definitivo, ineluctable, establece desde allí el imperio de su poderío. "Azul tequilana": de su íntimo corazón apretadísimo mana la esencia que da a esta tierra nombre y a los jardines de su comarca sustento y ánima.

La silueta poderosa del cerro de Tequila domina el paisaje. De su volcán surgió, al filo de los milenios, una topografía quebrada e impredecible. Ríos cuyo laborioso cauce determina en su recorrido densidades y tonos. Los dilatados planes dan albergue y aire a las mezcaleras marciales.

III

El jardín de la hacienda de San José del Refugio, en Amatitán, es muestra fehaciente del misterioso poderío del agave azul. Dentro de sus confines un universo particular gira y se renueva al ritmo preciso que la factura del tequila dicta: un conjunto indistinguible de estanques, terrazas, canales, *parterres* florecidos, almácigos, pródigas hortalizas domésticas. Las sombras de los altos chacuacos de la fábrica marcan las horas, mientras se deslizan sobre los follajes relucientes, sobre los prados quietos. En un campo sombrío los arados reposan. Las raíces de los árboles del hule describen sus curvas minuciosas y arteras sobre el muro imperturbable que remata un talud. La lama continúa su íntimo tejido a lo largo de la acequia murmurante.

Altas tapias de adobe y una barranca atrás. A horas ciertas, por todo lo alto de la barda del fondo, la que da término a la verdísima superficie de los estanques, pasa un tren azul: su silbido hace levantar el vuelo a los pájaros tempraneros. Más atrás, el ejército inmóvil y alerta de los agaves espera, enhiesto. El estruendo del ferrocarril se aleja.

IV

Bordeando las viejas factorías destiladoras que en el poblado de Tequila mismo se hallan, florecieron huertos y jardines. Altas tapias demarcan una calle tranquila. Tras los muros se mecen las frondas. El olor del agave fermentado permea el aire: es omnipresente. A ratos el viento pretende alejarlo, diluirlo. A otras horas, bajo un sol de plomo, el aroma parece impregnar, fijarse sobre todas las cosas. Un silbato próximo recuerda los trabajos que se suceden. La Quinta del Retiro mira pasar las horas. En sus senderos florecen, con rara intensidad, árboles y arbustos. Como si el aroma, con una secreta clave, diera inusitado vigor a su savia. Generaciones de cuidados y caprichos han dado a este jardín su estampa. El jardín contiene una antigua casa, varias veces y con diversas suertes remozada. Y fuentes, estatuas, azulejos, inscripciones, fragmentos de otras moradas que encontraron allí refugio. Evocaciones distantes e inmediatas, memorias de viajes y huellas de gustos y desvaríos. Imperturbable, diáfano, el agave azul determina con su gesto generoso y fiero la estampa del jardín, el signo de los días, la trama de la vida.

Juan Palomar Verea, arquitecto nacido en Guadalajara en 1956, ha desarrollado allí la mayor parte de su obra. Interesado en la preservación del acervo cultural de la región, preside desde 1989 la Fundación de Arquitectura Tapatía, legataria de la biblioteca y coheredera del patrimonio de Luis Barragán. Ha publicado ensayos y traducciones en *Vuelta, El Paseante, La Jornada Semanal, El Occidente* y *Siglo 21,* entre otras publicaciones. Encabeza la Dirección de Documentación e Investigaciones Estéticas de la Secretaría de Cultura de Jalisco y mantiene un taller de composición en el ITESO de Guadalajara.

El agave viajero

EL TEQUILA EN OJOS DE VIAJEROS: EL PAISAJE DEL AGAVE

María Palomar

En este texto de referencias históricas y literarias, el agave es acento de un paisaje mirado por distintos ojos del pasado: Bernardo de Balbuena, el jesuita Francisco de Castro y algunos otros viajeros que en los recios perfiles de la comarca del tequila advirtieron el tono y el espíritu del occidente mexicano.

Para Antonio
Gómez Robledo,
eminencia y hondura,
in memoriam.

¿De qué paisaje se reclama hijo el mezcal de Tequila, el "vino de la tierra" de ese occidente periférico? ¿En qué comarca excéntrica fue a nacer ese híbrido que llegaría a convertirse en indiscutible estereotipo nacional?: "En los más remotos confines destas Indias Occidentales, a la parte de su poniente, casi en aquellos mismos linderos que siendo límite y raya al trato y comercio humano parece que la naturaleza cansada de dilatarse en tierras tan fragorosas y destempladas no quiso hacer más mundo, sino que alzándose con aquel pedazo de suelo lo

dejó ocioso y vacío de gente, dispuesto á solas las inclemencias del cielo y a la jurisdicción de unas yermas y espantosas soledades".

Estos renglones son los únicos que le merece a Bernardo de Balbuena —trasplantado en la niñez desde la península— en el prólogo de la obra que dedicó a cantar las excelencias indianas, su tierra de adopción: la Nueva Galicia. Auténtico finisterre del imperio, marca poniente, frontera y páramo, el paisaje occidental ha tenido sin embargo formas muy suyas de mostrarse feraz y generoso. (Lomerío, polvoriento y quebrado —de renegrida, innegable estirpe volcánica, con peñas y barrancas y cerros que proyectan sombras definitivas como la muerte—, el paisaje por donde en occidente se gana el mar es imagen y es cifra de un cierto talante mexicano.)

Un dilatado lienzo llano y amarillo, pues, extendido al desgaire. Pero en un campo tan parejo los pliegues resultan cicatrices casi monstruosas, eminencias casi aplastantes: tajos abultamientos y alforzas que son auténticos accidentes, y de los graves. (Un texto donde signos y acentos cumplen y sobrepasan su papel: puntúan y puntean, apuntalan y apuntan.)

Hay, sin embargo, en este páramo huellas del tránsito de hombres antiguos: discretos y subterráneos, dejaron plasmados en las ofrendas de sus tumbas de tiro una refinada sensibilidad estética e indicios ciertos de una civilización compleja, vinculada con toda Mesoamérica hasta sus confines orientales, e incluso posiblemente enlazada con culturas subecuatoriales de la costa pacífica: hacia ahí apunta, por ejemplo, el uso muy temprano del metal.

Pocas muestras hay a flor de tierra del paso de esa antigua gente. Pero el paisaje agreste, intocado, conserva sin embargo los mismos elementos que sustentaron aquellas lejanas vidas, y entre los signos minúsculos que lo puntúan está la vegetal eminencia del agave: la certeza acerada con que sus hojas protegían la húmeda fuente de alimento, otorgaban a los pobres techo y vestido, hebra y agujas, y hasta páginas en blanco a los tlacuilos.

La bendición pagana que es el maguey queda debidamente asentada en los códices, en las crónicas más tempranas, en los escritos de quienes primero buscaron entender el *genus loci* de estos rumbos.

La bendición cristiana, el bautizo definitivo, vendría luego a encajar dentro de la perfecta lógica con que se construyen en el alma colectiva los símbolos cabales, capaces de síntesis absolutas.

Cuando el acriollamiento auténtico —el del espíritu que se arraiga— da pie en el siglo XVII al real mestizaje de las culturas, el sueño vivo que conjunta la cristiandad renacentista del Imperio con la grandeza clásica del pasado indio, se expresa en *La octava maravilla*: la aparición en el Tepeyac sobre la tilma humilde tejida con la fibra del maguey, milagro ante el cual —según otro poeta trasplantado, el jesuita Francisco de Castro— palidecen los más lúcidos florones de la corona de Castilla: "Raso (Maguey le llaman) vegetable/ de esta parte del Cancro lleva el suelo,/ planta a su dueño

tan usufructuable/ cual concedió a otra tierra ningún cielo;/ a los del tiempo asaltos indomables,/ dura al sol, dura al agua, dura al hielo;/ su corazón lo diga alado a pencas/ de agudas arcas más que las Flamencas//[...] deba en mi estilo y en mi pluma deba/ a la Virgínea madre aquesta fama/ el *para-todo* de la España Nueva: sepa la Antigua, de raíz, la trama/ del Lienzo estéril donde tanta lleva/ florida copia de Jesé la Rama,/ que de corteza a flor, milagros tupe/ en su imagen del nuevo Guadalupe".

Son pues viejas, muy viejas, las cartas de la nobleza del maguey en el paisaje de México (por más que la consagración heráldica se la haya llevado el nopal del águila azteca, habsburga y centralista).

La palabra castellana "madre" bajo la cual se agrupa el vocablo "paisaje" —nos informa generosamente María Moliner— es "pago", que significa aldea (*pagus* en latín), y que ampara igualmente al país y lo pagano.

Paisaje nos llega del francés *pays:* a la vez nación —patria— y región —matria, que diría don Luis González. Las resonancias son muchas, rejuntadas al paso de los siglos: el paisano (al mismo tiempo payés y gente común: del fuero civil y no castrense) es, por la misma etimología, pagano (laico o lego y no clérigo), es decir un ser apegado al *pagus,* y por tanto cercano a los *genii loci,* los espíritus primarios de la tierra.

El paisaje del tequila deja huella, pero no se revela nunca por completo, y menos a los ojos del forastero que recela del poder de su aguardiente nutricio y feroz, auténtico genio lugareño. Los viajeros que en el siglo pasado atravesaron la comarca nos han dejado imágenes dispares, curiosas diferencias de pareceres, como la que se da entre el italiano J. C. Beltrami (cuya descripción data de 1823) y el inglés W. H. Hardy (que visitó la zona apenas dos años más tarde). Escribe el primero: "Aunque [Tequila] es un hermoso pueblo, está rodeado de una comarca estéril para los ojos de un europeo; en México, sin embargo, aun el mal terreno produce frutos y riquezas; el maguey y otras plantas indígenas proporcionan a Tequila esta prosperidad que le niegan los cereales [...] el maguey de Tequila ofrece una magnífica calidad de licor, el aguardiente que se llama vino-mezcal". Por su parte, el súbdito británico encuen-

tra más verdor y afirma que: "Tres leguas al noroeste [de Guadalajara] está el floreciente pueblo de Tequila, rodeado de jardines y plantaciones de azúcar y de una especie de maguey, que aquí es menos grande que el que se produce cerca de la ciudad de México para obtener el pulque, la bebida favorita en México. Aquí no hay pulque. Esta planta de maguey más chica se hace fermentar y se obtiene un whisky más fuerte con su destilación y al cual llaman 'chinguerite'."

En 1853, el francés Ernest de Vigneaux narra su viaje, en calidad de prisionero de guerra, por la zona de Tequila: "la comarca es triste, el suelo árido y pedregoso. Inmensos campos de maguey anuncian la proximidad de Tequila, la ciudad del mezcal. El aspecto de estos secos y pedregosos llanos, plagados de abrojos, hace brotar en el espíritu la idea de un círculo del infierno olvidado por Dante. No es, sin embargo, una región maldita. Después del plátano y el maíz, cuya utilidad es más inmediata, el maguey (agave) de América es el regalo más precioso que la naturaleza haya hecho a México".

En 1856, un periodista californiano anglosajón que se firma Cincinnatus y cuyo nombre era al parecer Mervin Wheat, publica una serie de cartas de viaje. Mitad ilustrado, mitad ignaro —irritantemente prejuicioso en todo caso—, va de Tepic a Guadalajara, y de ese espacio describe la desértica apariencia hasta Magdalena (cuya laguna aún existía). Dice después: "algo suscitó aún más nuestra admiración: la contemplación de un pintoresco escenario de paisajes de montaña con todas las variadas formaciones de contornos cónicos y oblicuos que el calor volcánico es capaz de moldear. En una distancia de 18 millas no se nota ninguna diferencia específica en las características generales de la comarca. Al señalar esto no pretendo afirmar que el panorama sea completamente monótono, ni que hayamos seguido viendo el lago ni en particular este valle, sino que de continuo surgían ante nuestra vista cambios peculiares de una zona por naturaleza convulsiva".

Aun esas miradas distantes y ajenas admiraron ya el irreductible carácter, la dura belleza del paisaje del tequila. Tierra de relieves inesperados, tan abruptos cuanto excepcionales, el occidente mexicano expresa una vocación de soledades llanas marcadas por fortísimos contrastes. Fiel a sí mismo, ese paisaje quebrado es insondable y voraz en sus profundidades, enhiesto e irreductible en sus alturas únicas, así en su tierra como en su gente.

Los hijos de los conquistadores supieron sin duda y pese a todo apreciar y asimilar la *Maravilla americana,* con su estética de la *terribilità,* con su truculencia de ritual pagano. Fueron hijos de una modernidad primera: la que cerró auténticamente la redondez del mundo en el siglo XVI. Nuestra modernidad, la del siglo XX, nos ha vuelto a enseñar a percatarnos de la ingrata belleza de lo ajeno. Redimidos de la perplejidad del misionero de la Contrarreforma, nos ha permitido, sin remordimientos, sumergirnos en imágenes "primitivas", en paisajes agrestes, en inéditas sensibilidades paganas.

El imaginario mexicano de nuestros días debe sin duda mucho a André Breton, quien en su *Souvenir du Mexique* (1938) escribe una consagración emblemática, sencilla y definitiva del maguey y su paisaje: "tierra roja, tierra virgen por completo impregnada de la sangre más generosa, tierra donde la vida humana no tiene precio, siempre dispuesta, como el agave que se extiende hasta el horizonte y que la representa, a consumirse en una flor de deseo y de peligro".

María Palomar ha colaborado en la revista *Vuelta* y en el diario *Siglo 21.* Tradujo, con Jorge Esquinca, *El canto de los muertos,* de Pierre Reverdy, y diversos poemas de *Una antología de la poesía norteamericana desde 1950,* de Eliot Weinberger. Es Premio Nacional de Traducción de Poesía 1991, por *La rosa náutica,* de W. S. Merwin.

PARA QUE APRENDA (HILDEBRANDO PÉREZ) A TOMAR UN CABALLITO DE TEQUILA

Efraín Huerta

La mano izquierda tensa, ¿ya? Ahora verás: en el dorso,
entre el pulgar y el pinchíndice, un hueco, un huequito
como un hoyo santo creado precisamente por Diosito lindo.
El tequila blanco ya está servido en la copita larga
(nunca supe por qué lo, la llaman caballito:
será tal vez porque a las cinco copas empieza uno
a galopar por mar y cielo sobre la yegua Siete Leguas),
porque sabrás que el caballo Siete Leguas
("Siete Leguas el caballo que Villa más estimaba,
cuando oía silbar los trenes se paraba y relinchaba")
no era caballo sino una yegua bien caliente, como
digamos la Valentina afamada o la mentada Adelita
o alguna poetisa peruana o mexicana en su salsa.
Bueno, pues en el hoyito (si lo tienes), el de la mano izquierda tensa,
en el dorso, pon un montoncito de sal. ¿Ya pues, manito?
Acerca la mano hacia la ansiosa boca, como a la distancia
de más o menos veinte centímetros: abre la boca
y con la mano derecha golpea los dedos —tensos—
de la mano izquierda: la sal-salta hacia la boca
y el ritual empieza. Chupa un limón. Bebe.
Un caballito te da de cinco a seis sorbitos.

Pero si careces de hoyito —en el dorso de la mano izquierda—
entonces tómalo a la antigüita: exprime limón en la copa
y ponle sal —y ya.

Lástima que en tu Limaperú no tengan
sangrita de la Viuda (jugo de tomate, muy especial),
de una viuda muy tapatía, muy jalisciense,
para suavizar el duro trago tequilero.

De todos modos, de una manera u otra, llegará un momento
en que logres la licenciatura, jamás el doctorado,
de auténtico, legítimo charro mecsicano,
que es casi como alcanzar una cierta categoría
de hipócrita bebedor.

Efraín Huerta perteneció a la generación de *Taller* (1938-1941), revista literaria que agrupó, entre otros, a Octavio Paz, Rafael Solana y Alberto Quintero Álvarez. Escribió los libros de poesía *Absoluto amor* (1935); *Línea del alba* (1936); *Poemas de guerra y esperanza* (1943); *Los hombres del alba* (1944); *La rosa primitiva* (1950); *Poesía* (1951); *Poemas de viaje, 1949-1953* (1956) y *Poesía 1935-1968* (1968). En 1949 recibió las Palmas Académicas del gobierno de Francia, y en 1976 el Premio Nacional de Literatura.

Fotografía: Jorge Contreras Chacel

El agave imaginario

POÉTICA DEL TEQUILA

Vicente Quirarte

El tequila en la literatura y el cine
forma parte de un paisaje anímico que es un eco vibrante
del entorno seco del Bajío, sus jinetes y caballitos de vidrio.
El autor de este recorrido, poeta y ensayista,
nos lleva a ese paisaje estético asegurándonos que el tequila
se antoja de naturaleza viril, aunque suene femenino
el nombre de su toponimia. "Claro, desnudo y contundente,
para ser bebido no exige de temperaturas especiales
ni de complicados ritos".

Cantina, *ca.* 1920.
Archivo General de la Nación.

Página 58:
Roberto Ruiz, industrial tequilero, con sus amigos, *ca.* 1920.
Colección Donato Ruiz.

Página 59:
Pedro Armendáriz.
Juan Charrasqueado, 1947.
Dir. Ernesto Cortázar.
Colección Pascual Espinoza.

A Jorge Esquinca, hermano de cabalgata en lomos del agave azul.

Como el café y el amor, el tequila es irresistible; exigente y poderoso. Como el café y el amor, el tequila no es para los tibios. Sus favores más altos los destina a quien acepta invitarlo a formar parte del cuerpo, con toda su pureza, su inmediatez y su vértigo. Producto de alquimias refinadas, como el café y el amor, es bebida para iniciados, prueba determinante para separar la realidad de la apariencia. Tequila sabe a su nombre. A diferencia de la dulzura líquida del *xtabentún* del sureste o de la suavidad de la charanda michoacana, en la palabra tequila todo es pariente de la matraca, relincho de garañón sobre el cual un jinete rapta a una vendedora de chía durante la veda de la Cuaresma.

Forma es fondo. Tequila es el nombre de la ciudad de donde toma su nombre la bebida, y su sonido evoca la noble aspereza de las tierras de nuestro Bajío. Nada tan mexicano y nada, como lo mexicano, tan mestizo. De la destilación inventada por los árabes, del maguey cuyo nombre los españoles hallaron en las Antillas, del culto a una especie vegetal que a los antiguos mexicanos proporcionó placer, alimento y vestido, se nutre la historia de uno de los principales protagonistas de nuestra cultura. El difícil camino hacia la transparencia ha sido recorrido a lo largo del tiempo por la bebida que por denominación de origen llamamos tequila. Hijo del fin del siglo XVIII, el llamado por los criollos "vino de este país" está vinculado históricamente al derrumbe de tres siglos de dominio español, pues su producción en serie coincide con los primeros intentos de independencia. En 1995 celebramos simbólicamente el bicentenario del tequila porque, precisamente en 1795, la intendencia de Guadalajara levanta la prohibición para fabricar el producto. Ese año, José Guadalupe Cuervo recibe la primera concesión para fabricar tequila. No es éste el espacio para hablar de la historia del tequila. Aunque escasea la bibliografía sobre el llamado tanto por propios como por extraños "nuestro aperitivo nacional", para un examen brillante, sucinto y ameno, remito al lector al trabajo de José María Muriá, *El tequila. Boceto histórico de una industria*, de donde he abrevado para obtener los principales datos históricos que vertebran este breve viaje al corazón del tequila.

Pariente cercano del mezcal, extraído de un maguey semejante, en varias novelas del siglo XIX aparece con tal nombre lo que seguramente era mezcal proveniente de Tequila o sus regiones aledañas. Ya en *El Diario de México* del año 1812, en plena revolución insurgente, se enumeran las bondades de dicha agua pariente de la llama: "El vino mezcal puro tiene virtud de curar enfermedades, como lo han experimentado los habitantes de los lugares en los que ha sido permitido el uso de este licor. Facilita suavemente el menstruo de las mujeres hasta ponerlo en estado de abundancia, según conviene, y quita el dolor de la hijada, tomado tibio cuando amenaza. Destruye las lombrices e impide que se engendren éstos y otros insectos. Tomado tibio es eficaz para quitar los dolores que originan los entuertos de las parturientas. Para experimentar estos efectos conviene que el mezcal sea puro, sin mezcla de agua, ni otro licor aún espirituoso. Se expende en la calle de la iglesia del Espíritu Santo, en la accesoria ubicada entre las casas principales, números 3 y 4".

EL CONTINENTE

Clara, desnuda y contundente, la bebida del tequila —porque se antoja de naturaleza viril, aunque femenino suene el nombre de su toponimia— para ser tomada no exige de temperaturas especiales ni de complicados ritos, aunque siempre será mejor hacerlo parte de nosotros de acuerdo con cánones tan mínimos como imprescindibles. De Cocula es el mariachi, de Tecatitlán los sones, de Tequila su mezcal, reza una de nuestras más entrañables canciones como exigente, inamovible silogismo. Negro ha de ser el paraguas, hermosa la mujer y un caballito de vidrio el continente del tequila. Transparencia guardiana de la transparencia, en el caballito se resumen las tres condiciones que Edgar Allan Poe —que de alcoholes también y tan bien supo— exigía al gran texto: brevedad, intensidad y efecto. Vertido por mano sabia, el tequila de buena cepa obsequia a sus devotos con un collar de perlas que alcanza a formar un círculo perfecto. De la duración de esas perlas y de la uniformidad que logren en la boca del vaso, dependen la calidad y la pureza del tequila. La joya desaparece tras el primer sorbo y entonces podemos proceder a permitir que el líquido acaricie los muros de la copa, se aferre a la pared de vidrio como si ese beso quemante dijera: "Para que no me olvides".

A Efraín Huerta, de garganta tan poderosa como su poesía, debemos una de las mejores alabanzas al continente ideal para el tequila, el caballito, que en la familia de los vasos es el David, por pequeño, eficiente y poderoso.

La madrugada del 15 de junio de 1988, los jerezanos celebraron el centenario natal de Ramón López Velarde al compás de la tambora y tragos del brioso mezcal zacatecano, escanciado en jarritos que los invitados llevábamos colgados con un listón al cuello. Prácticos eran para la peregrinación, mas no para la degustación de la bebida. Como mi maestro Efraín Huerta, confieso mi ignorancia de por qué se llama caballito el vaso tequilero. Gonzalo Celorio interpreta este nombre como un homenaje al ritual acompasado, galopante, que el tequila exige de sus jinetes. Para su denominación utilizamos el diminutivo. Decimos caballito acaso para que las iluminaciones del tequila nos permitan galopar amablemente al trote y no se le ocurra al bruto olvidar su natural nobleza y, al despertar sus potencias, nos lleve hacia el abismo. Y ese ritmo sosegado de cabalgata es también consigna áurea del auténtico bebedor: el tequila se hizo para paladeo de los justos y para embrutecimiento de quienes lo toman sin darse cuenta de lo que beben. Las legiones de bárbaros del norte que invaden nuestro mexicano domicilio, definen con su expresión *tequila shots* esa forma innoble de posesionarse sin posesionarse de la bebida, que mucho se parece al amor pagado de adolescente ansioso.

Jorge Negrete.
Jalisco canta en Sevilla, 1948.
Dir. Fernando de Fuentes.
Colección Pecime.

Desde que el tequila se convirtió en bebida de buen gusto, existen los meseros heterodoxos que creen hacernos un gran servicio al verterlo en la copa coñaquera. El tequila debe respirar en ese vaso alto *ma non troppo*, en esa transparencia que vuelva presente la *Muerte sin fin* de nuestro gran poeta. Una de las formas de la felicidad me fue deparada por el mesero que en Santiago, Nuevo

LA TEQUILERA

Borrachita de tequila
llevo siempre el alma mía,
para ver si se mejora
de esta cruel melancolía.
¡Ay!... por ese querer,
pos qué le he de hacer,
si el destino me lo dio
para siempre padecer.
Como buena mexicana
sufriré el dolor tranquila,
al fin y al cabo mañana
tendré un trago de tequila.
¡Ay!... por ese querer
pos qué le he de hacer,
aunque me haya traicionado
no lo puedo aborrecer.
¡Me llaman la Tequilera
como si fuera de pila,
porque a mí me bautizaron
con un trago de tequila!
¡Ay!... ¡ya me voy mejor,
por qué guardo aquí;
dizque por la borrachera,
dicen todos... lo perdí!

ALFREDO D'ORSAY

León, al pedirle un tequila, me preguntó si quería una "banderita". La susodicha estaba integrada por tres caballitos, formados en el riguroso orden cromático de nuestro lábaro: verde del limón, blanco —aunque en realidad sea transparente— del tequila y rojo de la sangrita.

Si no en Jalisco, dónde. En la cantina La Fuente, vecina del también venerable Teatro Degollado, se sirve sobre todo tequila Centinela en unos caballos de generosa alzada que debiera convertirse en reglamentaria, lejos de la mezquindad dedalera de los malos Ganímedes. Con uno se enciende el corazón y con dos se llega a la nube donde Lucha Reyes canta "La tequilera", esa canción compuesta para ella por Alfredo d'Orsay.

A la generosa dimensión de los caballitos de La Fuente se debe la que acaso fue la última danza pública de Ana Mérida. Con sus luminosos casi 70 años, doña Ana desoyó los lamentos de sus prótesis y los consejos de la prudencia. Con la potencia de siete caballos de tequila, transfusión jalisciense en su sangre, no pudo resistir la voz del tenor que cantaba "Granada". Acompañada por el piano que solemniza la ceremonia etílica en esa cantina anclada en la década de 1940 de Guadalajara, se lanzó al ruedo para recuperar la juventud que Diego Rivera pintó para siempre en su retrato de *Ana de los mil rostros*.

Al poeta Miguel Ángel Hernández Rubio se debe una serie de poemas, escrita *in situ* y a lo largo de todo un día, que lleva por título, naturalmente, "Allá en La Fuente". El espacio cambia conforme lo pueblan los diferentes parroquianos. En una de esas epifanías donde la lucidez abre momentáneamente sus puertas, merced a la transparencia del tequila, surge la imagen de Eva, reina de El Jalisco de San Blas, Nayarit, mejor conocida como Nuestra Señora de Todos los Golfos, quien bebía tequila en vasos que nuestro mestizaje lingüístico llama "chocomileros". Y dice el poeta: "En el tequila/ —ese aceite— el hielo,/ en tanto se derrite,/ es un diamante/ que se pule a contraluna/ o sol;/ luego un trago largo largo largo/ hasta esa otra perfección:/ el vaso ése,/ la esa nada".

También en Guadalajara subsiste un galerón sin nombre, pero cuyos iniciados llaman Los Caballazos o El Hipódromo. Imperio del Caballito Cerrero —única marca que allí se expende—, el tequila es servido en vasos enormes, con hielo raspado y el refresco de la predilección del cliente. La sangrita es más cara que el refresco, acaso por la convicción de que el buen bebedor no precisa de atenuantes. La fama del lugar dice que nadie pide más de dos de esos percherones, servidos detrás de una barra de azulejos cuyos exactos 18.07 metros de longitud merecen figurar en el libro Guinness. Y un importante código de honor: quien grita o desordena es obligado a abandonar el local, humilde pero decoroso como el más selecto club inglés.

BLASONES Y EMBLEMAS

Una lectura del tequila puede hacerse mirando al trasluz las distintas coloraciones y consistencias de su cuerpo, desde la exigente transparencia del blanco hasta la miel oscura del añejo. Pero un recorrido por la personalidad de las diferentes casas productoras nos llevará también a elaborar una nómina de colores, banderas y metáforas donde cada tequila exhibe su carácter. Desde su entrada triunfal en el consumo elegante, los fabricantes de las marcas más comerciales se han afanado en rastrear la genealogía de su fábrica y negocio.

A partir de 1906, cuando el tequila empieza a ser envasado en botellas de vidrio, éstas ostentan etiquetas tan diversas como los nombres de las fábricas. La escritura del tequila podemos hacerla acodados en alguna de nuestras venerables cantinas del viejo centro. En varios de los casos se ostenta el maguey de hojas esbeltas y afiladas. No el melancólico, de hojas grandes y caídas, del que se extrae el pulque, sino el más pequeño y punzante maguey tequilero, el agave *Tequilana Weber* azul, como aparece por triplicado en el tequila Tres Magueyes. Alterna con la generosa piña, corazón de la bebida, junto a una cabeza de venado, en el Cazadores. Aparece incluso en una marca tan exótica como el tequila Newton, que debe su nombre seguramente a su capacidad para alterar la ley de gravedad. La etiqueta del tequila Herradura rinde homenaje al campesino ocupado en la decapitación del maguey para dejar libre la piña que posteriormente será asada antes de la destilación. Según la tradición, al dividirse los productores de tequila Herradura y decidirse a elaborar su propio tequila, buscaron un símbolo que no guardara relación alguna con la herradura. De ahí nació el Caballito Cerrero, también de exigente pureza, y que ostenta en su etiqueta un caballo *naïf*, anaranjado, que bien pudiera ser una ternera o un venado. Un caballo más asentado y de mejor trazo aparece en la botella del casi inconseguible Siete Leguas. Los Sauza ostentan orgullosamente en sus tequilas el 1873, fecha en que Cenobio Sauza compra la fábrica La Perseverancia, antiguamente llamada La Santa Cruz, como registra el pintor Gabriel Flores en el mural existente en la planta de Tequila Sauza. Tequila Cuervo ha

Carlos López, 'Chaflán', Isabela Corona
y David Silva. *La hija de la isla,* 1941.
Dir. Emilio, 'El Indio', Fernández. Colección Pecime.

Agustín Isunza y Daniel, 'Chino', Herrera. *Lupe Balazos,*
1963. Dir. Chano Urueta. Colección Imcine.

Sol. 171

recuperado el diseño de su clásica etiqueta ovalada, cuyos oros fulguran en multitud de películas mexicanas donde el tequila establece armisticios o rompe hostilidades.

La cruel ironía de aquella fábula de Augusto Monterroso, según la cual un comensal que degusta unas ancas de rana exclama "sabe a pollo", puede aplicarse a quienes para ilustrar la excelencia de un tequila afirman que es un coñac. Son los mismos que sostienen que Xochimilco es la Venecia de Anáhuac y prefieren beber el tequila disfrazado en la margarita.

El tequila sabe a tequila y debe raspar, otra vez, como el amor o el café, para que el cuerpo sienta lo que recibe. Hay paladares que gustan de los añejados y hasta de la crema de tequila. Como aperitivo y preludio del banquete, nada como la punzada deliciosa, el impacto directo de un tequila blanco. Para final de fiesta, la dulzura de un reposado que en el adjetivo lleva la fama, la recompensa de la espera y el sueño en barriles de roble blanco.

MÁS CLARO QUE EL AGUA Y MÁS FUERTE QUE EL AGUARDIENTE

Así llamaba a nuestra bebida Domingo Lázaro de Arregui en su *Descripción de la Nueva Galicia* (1621). Si en 1873 Cenobio Sauza comienza las exportaciones a Estados Unidos, las tres décadas de mansedumbre porfirista propician el consumo de bebidas extranjeras. Los poetas modernistas exaltan los efectos —reales o imaginados— del ajenjo y de otras bebidas espirituosas venidas del otro lado del océano. De ahí que la actuación literaria del tequila tenga lugar al estallido de la Revolución de 1910. En *Los de abajo*, la primera novela que testimonia el movimiento, Mariano Azuela abre la segunda parte con el siguiente párrafo: "Al champaña que ebulle en burbujas donde se descompone la luz de los candiles, Demetrio Macías prefiere el límpido tequila de Jalisco". En las páginas siguientes, los hombres de Macías se hallan en medio de una celebración donde hacen alarde de los muertos hechos en combate y de los "avances" obtenidos en sus incursiones por casas y haciendas de los potentados. Un guiño de Azuela lleva al enfrentamiento entre dos mundos: "Entre los cristales, porcelanas y búcaros de flores abundaban las botellas de tequila".

Combustible de las cargas suicidas de la División del Norte, el tequila acompaña tristezas, alivia heridas —Camila descubre sus propiedades curativas cuando Luis Cervantes lo utiliza para desinfectarse una herida— y es compañero del gozo. La búsqueda de la rima lleva a la musa anónima de "La Valentina" a oponer el tequila a otro destilado que también debe su denominación al lugar de origen: "Si porque hoy bebo tequila,/ mañana bebo jerez,/ si porque me ves borracho,/ mañana ya no me ves".

El tequila es barómetro de pretensiones sociales. La Revolución triunfante olvidará rápidamente su sarampión nacionalista y volverá los ojos a los fastos porfiristas. Victoriano Huerta era un consumidor voraz de coñac y el Henessy recorre de principio a fin las aventuras y desventuras de los jóvenes políticos de *La sombra del caudillo*, de Martín Luis Guzmán. Con una dosis sobrehumana de tequila, con el cual lo torturan, los secuestradores del diputado Axkaná González parecen advertirnos, mejor que muchos mensajes subliminales, sobre los peligros del exceso: "Sentía Axkaná como si tuviera lumbre en la boca, en la garganta, en el pecho; si bien, pese a todo, empezaba a inundarlo inmenso bienestar. Dos tragos más, que le dieron inmediatamente, no provocaron casi resistencia alguna: entraron en él como droga que libera, que alivia. Pero aquello no duró mucho; momentos después sus sensaciones variaron de golpe. Experimentaba ahora veloces amagos de una borrachera terrible, de una embriaguez extraña que lo inundaba, más que en mareo, en ahogo. Iba sintiéndose otro, otro de segundo en segundo, profundamente otro cada vez que sus arterias, bajo la presión de la sangre, se hinchaban".

La Revolución no bastó para que el tequila se impusiera como bebida nacional. Los amigos de Ramón López Velarde bautizaron el estreno del vate como cronista con una botella de coñac. En su novela *Las batallas en el desierto*, ubicada en pleno despegue alemanista, José Emilio Pacheco subraya la urgencia de la clase media por acudir a bebidas extranjeras y "blanquear el gusto de los mexicanos".

Gilberto Owen, entre otras muchas cosas la conciencia etílica de los Contemporáneos, sale de México en 1928 y regresa en 1943. El país y la capital han cambiado asombrosamente y Owen hace tres descubrimientos que lo "mueven, remueven y conmueven": el edificio de La Nacional, su sobrina de 18 años y el tequila.

En Bogotá, donde Owen se había casado con una colombiana, acostumbraba beber desde temprano aguardiente de Cundinamarca, trago barato y transparente que le era servido en taza, para no escandalizar a la sociedad bogotana reunida en el café.

Ya en la ciudad de México, instalado en la calle de Mesones, Owen interrumpía con frecuencia sus notas y traducciones para ir al todavía existente Salón de los Espejos a beber un tequila. La bebida era una recuperación del desarraigado, "ancla segura y abolición de la aventura", como Owen llamara al alcohol, combustible metafórico que conduce el viaje de su *Sindbad el varado*.

Si para querer completamente a Mario Moreno, 'Cantinflas', es preciso rescatar fragmentos de sus primeras películas, al tequila debemos una de sus escenas memorables. Bajo la dirección de Arcady Boytler, en la película donde se inicia como protagonista, *¿Águila o sol?* (1937), 'Cantinflas' y Medel logran una de sus mejores actuaciones en el instante en que, mexicanos de estirpe, están a punto de hacerse a la idea de que van a tomar el último caballo de tequila antes de retirarse. La escena da inicio cuando la borrachera dulce y entre algodones del tequila ha llevado a los dos amigos a un diálogo tan envolvente, a un abrazo tan estrecho, que de continuo los hace entrechocar sus rostros.

Discursos unilaterales, frases en canon, donde cada uno arma su discurso y trata de responder al del otro, son los instrumentos verbales orquestados por la pequeña copa tequilera, desatadora de fraternidades, heridas y pasiones.

Cobija del pobre, blindaje del abandonado, el tequila es noble, transparente y sobrio (valga la antítesis). Uno de los mejores homenajes al triángulo establecido entre hombre, tequila y mujer lo hizo un poeta de cuyo nombre siempre habré de acordarme. Durante varios meses, compró religiosamente un cuarto de tequila Hornitos —no alcanzaba para otro— y lo consumía con sorbos espaciados en la banqueta frente a la casa de la perdida, sin que ella pudiera mirarlo y sin más compañía que la llama cauterizante de la herida provocada por "el rayo que no cesa". Luego, sin tocar la puerta, el oscuro continuaba su camino, iluminado por el producto más noble del agave.

La "Hora Ibargüengoitia" llamó Joy Laville al momento en que el dos veces grande escritor, a quien tantas alegrías debemos, interrumpía su trabajo para mirar la salida de las niñas de la escuela. Acompañaba el rito con un caballo de tequila, intenso y pasajero como la belleza y la elasticidad de las ninfetas. Bajo la luminosa sombra de Jorge Ibargüengoitia, es posible concluir que el verdadero devoto del tequila adquiere sus mejores virtudes. A la luz del caballo retroceden las sombras, se abrillanta el paisaje y somos tan diáfanos como la bebida que hacemos, tranco a tranco, parte de nosotros. Benigno en la resaca —hasta donde pueden serlo los naufragios—, prolongado en marcharse del cuerpo, el tequila nació para acompañar nuestras mejores aventuras, que son siempre las del alma. "Borrachita de tequila llevo siempre el alma mía", canta nuestra Lucha Reyes para demostrar el imperio del espíritu sobre todas las hazañas que intentamos.

Vicente Quirarte, poeta y ensayista. Premio Xavier Villaurrutia, es maestro en Letras Mexicanas por la UNAM, donde es profesor. Sus dos más recientes libros de ensayos son *Peces del aire altísimo* y *Viajes alrededor de la alcoba*. En cuento, *El amor que destruye lo que inventa*. En 1976 y 1984 se publicó una compilación de su poesía, *La luz no muere sola*. Otros poemarios suyos son los titulados *Canciones de Lucrezia Butti*, *Vencer a la blancura*, *Puerta del verano*, *Fragmentos del mismo discurso*, *El cuaderno de Aníbal Egea* y *El ángel es vampiro*.

Página anterior:
Pedro Infante. *El gavilán pollero,* 1950.
Dir. Rogelio A. González.
Colección Pascual Espinoza.

Páginas 64-65:
Mario Moreno, 'Cantinflas', y Manuel Medel. *¿Águila o sol?,* 1937.
Dir. Arcady Boytler. Colección Imcine.

El agave pícaro

EL TEQUILA MILAGROSO

Laura Esquivel

Un cuento inédito, escrito especialmente para este número por la autora de Como agua para chocolate.

Toda la culpa de mis desgracias la tiene la Chole. Apolonio es inocente, digan lo que digan. Lo que pasa es que nadie lo comprende. Si de vez en cuando me pegaba era porque yo lo hacía desesperar y no porque fuera mala persona. Él siempre me quiso. A su manera, pero me quiso. Nadie me va a convencer de que no. Si tanto hizo para que aceptara a su amante, era porque me quería. Él no tenía ninguna necesidad de habérmelo dicho. Bien la podía haber tenido a escondidas, pero dice que le dio miedo que yo me enterara por ahí de sus andanzas y que lo fuera a dejar. Él no soportaba la idea de perderme porque yo era la única que lo comprendía.

Mis vecinas pueden decir misa, pero a ver, ¿quiénes de sus maridos les cuentan la bola de amantes que tienen regadas por ahí? ¡Ninguno! No, si el único honesto es mi Apolonio. El único que me cuida. El único que se preocupa por mí. Con esto del sida, es bien peligroso que los maridos anden de cuzcos, por eso, en lugar de andar con muchas, decidió sacrificarse y tener sólo una amante de planta. Así no me arriesgaba al contagio de la enfermedad. ¡Eso es amor y no chingaderas! ¡Pero ellas qué van a saber!

Bueno, tengo que reconocer que al principio a mí también me costó trabajo entenderlo. Es más, por primera vez le dije que no. Adela, la hija de mi comadre, era mucho más joven que yo y me daba mucho miedo que Apolonio la fuera a preferir a ella. Pero mi "Apo" me convenció de que eso nunca pasaría, que Adela realmente no le importaba. Lo que pasaba, era que necesitaba aprovechar sus últimos años de macho activo porque luego ya no iba a tener chance. Yo le pregunté que por qué no los aprovechaba conmigo, y él me explicó hasta que lo entendí que no podía, que ése era uno de los problemas de los hombres que las mujeres no alcanzamos a entender. Acostarse conmigo no tenía ningún chiste, yo era su esposa y me tenía a la hora que quisiera. Lo que le hacía falta era confirmar que podía conquistar a muchachitas. Si no lo hacía se iba a traumar, se iba a acomplejar y entonces sí, ya ni me iba a poder cumplir. Eso sí que me asustó.

Le dije que estaba bien, que aceptaba que tuviera su amante. Entonces me llevó a Adela para que hablara con ella, porque Adelita, que me conocía desde niña, se sentía muy apenada y quería oír de mi propia boca que yo le daba permiso de ser la amante de Apolonio. Me explicó que ella no iba a quedarse con él. Lo único que quería era ayudar en nuestro matrimonio y que era preferible que Apolonio anduviera con ella y no con otra cualquiera que sí tuviera interés en quitármelo. Yo le agradecí sus sentimientos y me parece que hasta la bendije. La verdad, yo estaba más que agradecida porque ella también se estaba sacrificando por mí. Adela, con su juventud, bien podría casarse y tener hijos y en lugar de eso estaba dispuesta a ser la amante de planta de Apolonio nomás por buena gente.

Bueno, el caso es que el día que vino hablamos un buen rato y dejamos todo aclarado. Los horarios, los días de visita, etcétera. Se supone que con esto, yo debería estar muy tranquila. Todo había quedado bajo control. Apolonio se iba a apaciguar y todos contentos y felices. Pero no sé por qué yo andaba triste.

Cuando sabía que Apolonio estaba con Adela, no podía dormir. Toda la noche me la pasaba imaginando lo que estarían haciendo. Bueno, no necesitaba tener mucha imaginación para saberlo. Lo sabía y punto. Y no podía dejar de sentirme atormentada. Lo peor era que tenía que hacerme la dormida pues no quería mortificar a mi "Apo". Él no se merecía eso. Así me lo hizo ver un día en que llegó y me encontró despierta. Se puso furioso. Me dijo que era una chantajista, que no lo dejaba gozar en paz, que él no podía darme más pruebas de su amor y yo en pago me dedicaba a espiarlo, a atormentarlo con mis ojos llorosos y mis miedos de que nunca fuera a regresar. ¿Qué acaso alguna vez me había faltado? Y era cierto, llegaba a las cinco o seis de la mañana, pero siempre regresaba.

Yo no tenía por qué preocuparme. Debería estar más feliz que nunca y, ¡sabe Dios por qué no lo estaba! Es más, me empecé a enfermar de los colerones que me encajaba el canijo Apolonio.

Daba mucho coraje ver que le compraba a Adela cosas que a mí nunca me compró. Que la llevaba a bailar, cuando a mí nunca me llevó. Bueno, ¡ni siquiera el día de mi cumpleaños cuando cantó Celia Cruz y yo le supliqué que me llevara! De puritita rabia, los ojos se me empezaron a poner amarillos, el hígado se me hinchó, el aliento se me envenenó, los ojos se me disgustaron, la piel se me manchó y ahí fue cuando la Chole me dijo que el mejor remedio en esos casos era poner en un litro de tequila un puño de té de boldo compuesto y tomarse una copita en ayunas. El tequila con boldo recoge la bilis y saca los corajes del cuerpo.

Ni tarda ni perezosa fui al estanquillo de la esquina, le compré a don Pedro una botella de tequila y la preparé con su boldo. A la mañana siguiente me lo tomé y funcionó bien. No sólo me sentí aliviada por dentro, sino bien alegre y feliz como hacía muchos días no me sentía. Con el paso del tiempo los efectos del remedio me fueron mejorando. Apolonio, al verme sonriente y tranquila, empezó a salir cada vez más con Adela y yo a tomarme una copita cada vez que esto pasaba, fuera en ayunas o no, para que no me hiciera daño la bilis. Mis visitas a la tienda de don Pedro fueron cada vez más necesarias. Si al principio una botella de tequila me duraba un mes, llegó el momento en que me duraba un día. ¡Eso sí, estaba segura de que no tenía ni una gota de bilis en mi cuerpo! Me sentía tan bien que hasta llegué a pensar que el tequila con boldo era casi milagroso. Bajaba por mi garganta limpiando, animando, sanando, reconfortando y calentando todo mi cuerpo, haciéndolo sentir vivo, vivo, ¡vivo!

El día en que don Pedro me dijo que ya no me podía fiar ni una botella más, creí que me iba a morir. Yo ya no era capaz de vivir un solo día sin mi tequila. Le supliqué. Al verme tan desesperada se compadeció de mí y aceptó que le pagara de otra manera. Al fin que siempre me había traído ganas el condenado. Yo, la mera verdá, con tanto calor en mi cuerpo también estaba de lo más ganosa y ahí sobre el mostrador fue que Apolonio nos encontró dando rienda suelta a las ganas.

Apolonio me dejó por borracha y puta. Ahora vive con Adela. Y yo estoy tirada a la perdición. ¡Y todo por culpa de la pinche Chole y sus remedios!

Delia Magaña, 'La Guayaba', y Amelia Whilhelmy, 'La Tostada', detrás, Pedro Infante y Evita Muñoz, 'Chachita'. *Nosotros los pobres,* 1947. Dir. Ismael Rodríguez. Colección Cineteca Nacional.

Laura Esquivel, escritora y guionista de cine. Publicó *Como agua para chocolate* y obtuvo en 1994 el Premio ABA de la asociación estadunidense de libreros. Prepara su novela *La ley del amor.*

TÉRMINOS DEL TEQUILA

Agave sazón. Agave madurado. La maduración tarda entre ocho y 12 años.

Agave *deserti*. Los rancheros de Baja California preparan su bebida regional a partir de este agave cuyas hojas apenas llegan a 30 cm de largo.

Agave *potatorum*. Bacanora, el mezcal de Sonora proviene de esta planta.

Agave *Tequilana Weber* azul. Forma parte de un grupo especial de agaves que es fácil reconocer. La planta parecida al maguey tiene hojas largas, angostas, delgadas y rígidas, es la materia prima del tequila, su color es azuloso glauco.

Alambique. Aparato de presión para la destilación del tequila.

Alquitara. Destilación lenta.

Anovillarse. Cuando el maguey comienza a madurar y se reduce donde nacen las hojas nuevas.

Barbeo. Podar o despuntar las hojas o pencas del agave. Se cree que el barbeo es una especie de poda que hace aumentar la cabeza o tallo del maguey.

Barbeo de escobeta. Barbeo que induce a una maduración prematura de la planta.

Batidor. Peón que se introduce desnudo a las tinas y bate con pies y manos los mostos para desfibrar las pencas machacadas.

Botija. Envase de barro, panzudo, de cuello estrecho y corto, se formaba con cuero de chivo. Siete botijas equivalen a un barril, es una medida para el medio menudeo.

Chicotuda. Planta del agave cuyo aspecto es poco vigoroso, como si estuviese vieja y cansada.

Chinguirito. Aguardientes nacionales de caña y mezcal que en los siglos XVIII y XIX eran considerados de mala calidad.

Coa de jima. Herramienta para la cosecha, también hay otra para limpiar maleza con la punta más triangular, en vez de redonda y filosa.

Cogollo. Apéndice que se encuentra en la parte superior de la piña y que nace del mesonte o mezontle. Es el lugar de nacimiento del agave.

Condensador. Especie de serpentina de metal donde se condensan los vapores que se han desprendido por la destilación debido a su enfriamiento.

Damajuana. Unidad comercial al menudeo hecha de vidrio forrado de mimbre, barriguda, con asas que contenían 32 litros, o sea la cuenta de un barril.

Desquiote. Cuando se corta la flor del agave a fin de que la planta no muera.

Destilación. Proceso mediante el cual se extraen del jugo fermentado los alcoholes que constituyen el aguardiente.

Fermentación. Proceso para transformar en alcoholes etílicos los azúcares reductores contenidos en el jugo.

Hervidor. En ciertas calderas, el tubo donde hierve el agua.

Hijuelo. Pequeño mezcal que nace al pie del agave y que se arranca cuando tiene un año de edad, quitándole las raicillas de la "cabeza"; a esa edad las pequeñas piñas tienen el tamaño de una naranja común. También se le llama semilla.

Huachicol. Bebida adulterada con alcohol, principalmente de caña.

Ixtle. Filamento textil que se extrae del agave azul para producir cordeles o cuerdas. También se llama pita.

Jima. Operación de cortar totalmente las hojas del agave y de arrancar la piña del suelo.

Jimador. El que realiza la jima.

Limpia. Quitar la hierba y remover el terreno del pie de cada agave por medio de la coa dejando un espacio limpio de vara y media de ancho (una vara mide 83.5 cm).

Mano larga. Agave de mayor tamaño que los otros cuyas hojas son más erguidas y el color más verde.

Marrana. Bagazo seco de mezcal.

Melgas. El terreno que queda entre surco y surco para sembrar maíz y frijol cuando el mezcal es aún muy pequeño.

Mezontle, mesonte. Corazón de la piña del agave, tiene una textura granular.

Mezcal. Planta que producirá tequila o mezcal. Bebida regional obtenida de agaves, similar al tequila.

Mosto. Zumo del agave u otras frutas que mediante fermentación produce alcohol.

Nitzicuile. Gusano que destruye la raíz del agave.

Paloma. Plaga que corroe las pencas del mezcal.

Pencas. Las hojas del agave.

Perla o concha. Burbuja que se mantiene en la superficie del tequila después de servirlo o agitarlo.

Piña. El corazón del agave que se aprovecha para la producción del tequila. Es la que contiene los azúcares. Está formada por el tallo y la base de las hojas.

Pipones. Depósitos de madera con capacidad para 80 barriles o 5 280 litros, aunque los hay de otros tamaños.

Potrero. En Tequila se llama así a las plantaciones de agave, también se les conoce como tren, ranchos o huertos.

Quiote. Vara que nace del cogollo, la flor del maguey. Cuando se corta y se cuece o se tatema entera, puede comerse porque además de tener nutrientes tiene su propio sabor dulce.

Taberna. Fábrica de tequila. Tienda donde se vende tequila al por menor.

Tahona. Espacio circular de cantería donde se mueve una pesada piedra en forma de rueda que gira sobre un eje, ayudada por una yunta. La piedra machaca la pulpa del agave convirtiéndola en una especie de pasta que se diluye en agua para darle la consistencia necesaria para la fermentación.

Tatemar. Acto de cocer la piña del agave para que en ella se concentren las mieles que luego se fermentarán y destilarán.

Tequio. Tarea. Se piensa que la palabra tequila proviene de este término.

Tequila cortado. Cuando el tequila, al ser agitado dentro de la botella, no produce la perla o concha que los conocedores exigen.

Tequila de hornitos. Se fabrica en una vasija de cobre con la tuba. La vasija se tapa con un pedazo de tabla de madera, cubriendo las rendijas con arcilla; el condensador es un serpetín de madera.

Tonel. Depósito de madera para transportar líquidos. Medida antigua equivalente a 833 kg.

Tuba. Tequila recién salido del alambique con sabor dulzón. Licor que se obtiene de palmeras.

Elena Climent.
Naturaleza muerta, 1994.
Acuarela. 18 x 26 cm.

INVITACIÓN A IMAGINAR

Siete fotógrafos sobre el tequila

Durante la elaboración de este número que es de cierta manera una iniciación al mundo apasionante del tequila, bebida de símbolos y placeres, quisimos presentar a varios fotógrafos profesionales, invitados por su colega Jorge Vértiz, para que realizaran obras en las que el líquido transparente que ahora exploramos como motivo cultural, aparezca transformado por su propio y muy personal lenguaje de imágenes.

RICARDO GARIBAY

1961

JORGE CONTRERAS
CHACEL

1 9 4 6

JORGE VÉRTIZ

1 9 5 2

GABRIEL FIGUEROA

1 9 5 2

LEOPOLDO AGUILAR

1955

HERIBERTO
BAUTISTA

1 9 5 5

LOURDES ALMEIDA

1 9 5 2

BIBLIOGRAFÍA

Agraz García de Alba, Gabriel, *Historia de la industria del Tequila Sauza. Tres generaciones y una tradición*, Guadalajara, Departamento de Investigaciones Históricas de Tequila Sauza, 1963.

Alba Vega, Carlos y **Kruij T. Dirk**, *Los empresarios y la industria de Guadalajara*, Guadalajara, El Colegio de Jalisco, 1988.

—, "Jalisco, un caso de desarrollo contradictorio", en *Economía y sociedad. Memorias del primer encuentro de investigación jalisciense*, Guadalajara, edición multicopiada, agosto 1981.

Banda, Longinos, *Estadística de Jalisco (1854-1863)*, Guadalajara, Unidad Editorial, Gobierno del Estado de Jalisco, col. Historia, serie Estadísticas Básicas, núm. 5, 1982.

Bárcena, Mariano, "El museo de productos industriales, materias primas y minería del estado de Jalisco", en *Informes y documentos relativos al comercio interior y exterior, agricultura e industria*, núm. 69, México, Secretaría de Fomento, marzo 1981.

Béjar, Rodolfo, *Tequilario*, Guadalajara, 1991.

Blanco, Gabriel, *Estudio sobre el mezcal. Memorias de la Sociedad Científica Antonio Alzate*, México, 1906-1907.

Camacho Ornelas, Jorge, "La industria tequilera ante la modernización y el Tratado de Libre Comercio", en *Industria*, órgano informativo de las Cámaras Industriales de los Estados Unidos Mexicanos (CONCAMIN), núm. 5, vol. 46, 1992.

Diguet, Léon, "Estudios sobre el maguey de Tequila. Generalidades e historia", en *El progreso de México*, semanario dedicado a la agricultura práctica, a la industria y el cambio, año IX, núms. 424-425-427, julio 1902.

Gallardo, Lupe, *El umbral ajeno. Márgenes de Guadalajara*, Jalisco, Editoriales Deli, 1961.

—, *Dintel provinciano*, México, s.e. 1965.

Gonçalvez de Lima, Oswaldo, *El maguey y el pulque en los códices mexicanos*. México, Fondo de Cultura Económica, 1956.

—, *Informe y colección de artículos relativos a los fenómenos geológicos verificados en Jalisco en el presente año y en épocas anteriores*, 2 tomos, Guadalajara, Edición oficial, Tip. de Ciros Banda, 1875.

Lancaster Jones, Ricardo, *Haciendas de Jalisco y aledañas (1506-1821)*, Guadalajara, Talleres Linotipográficos Vera, 1974.

López Cotilla, Manuel, *Noticias geográficas y estadísticas del Departamento de Jalisco*, Guadalajara, Unidad Editorial del Gobierno de Jalisco, col. Historia, serie Estadísticas Básicas, núm. 4, 1983.

Luna Zamora, Rogelio, *La historia del tequila, de sus regiones y sus hombres*, México, Consejo Nacional para la Cultura y las Artes, 1991.

—, *Análisis socioeconómico de la región henequenera de Yucatán (1850-1980). Una aplicación del modelo de Albert O. Hirshman*, tesis de licenciatura de economía, México, UNAM, 1986.

—, "Estado, industria y economía, 1930-1940", en *Jalisco desde la Revolución. Crecimiento industrial y manufacturero. 1940-1980*, t. XIII, varios autores, Mario A. Aldana Rendón (dir.), Guadalajara, Universidad de Guadalajara, Gobierno del Estado de Jalisco, 1988.

Mota y Padilla, Matías Ángel de la, *Historia de la conquista del reino de la Nueva Galicia en la América septentrional. Escrita en 1742, edicionada y comentada en vista ya de documentos que existen en el Archivo Municipal, ya en los expuestos por otros historiadores, por el Lic. José Ireneo Gutiérrez*, Guadalajara, Talleres Gráficos de Gallardo y Álvarez del Castillo, s.f.

Muriá, José María, *El tequila. Boceto histórico de una industria*, Cuadernos de Difusión Científica, núm. 18, Guadalajara, Universidad de Guadalajara, 1990.

—, (dir.) *Historia de Jalisco*, 3 tomos, Guadalajara, Unidad Editorial, Gobierno del Estado de Jalisco, 1981-1982.

Peña, Guillermo de la, "Evolución agrícola y poder regional en el sur de Jalisco", en *Revista Jalisco*, abril-junio, núm. 1, Guadalajara, Revista Oficial del Gobierno del Estado, Secretaría General Unidad Editorial, 1980.

—, "Mercado de trabajo y articulación regional: apuntes sobre el caso de Guadalajara y el occidente mexicano", en *Cambio regional, mercado de trabajo y vida obrera en Jalisco*, Guadalajara, El Colegio de Jalisco, 1986.

Pérez, Lázaro, *Estudio sobre el maguey llamado mezcal en el estado de Jalisco*, Guadalajara, Imprenta, Litografía y Librería de Ancira y Hnos., 1887.

Sandoval Godoy, Luis, *Tequila, historia y tradición*, Guadalajara, Publicidad de Aguinaga, 1983.

Segura, José C., "El maguey. Memoria sobre el cultivo y beneficio de sus productos", en *Biblioteca del Boletín de la Sociedad Agrícola Mexicana*, 4a. edición corregida y aumentada, México, Imprenta Particular de la S. Agrícola Mexicana, 1901.

Valenzuela Zapata, Ana Guadalupe, *El agave tequilero: su cultivo e industrialización*, Guadalajara, Ágata, 1994.

Vargas, Gabriel, *A los consumidores de vino mezcal, Guadalajara*, México, 1905.

Young, Eric van, "*Hinterland* y mercado urbano: el caso de Guadalajara y su región en el siglo XVII", en *Revista Jalisco*, núm. 2, julio-septiembre, Guadalajara, Revista Oficial del Gobierno del Estado, Secretaría General, Unidad Editorial, Guadalajara, 1980.

Editorial

IN THE SHADOW OF TEQUILA

Alberto Ruy Sánchez

The food and drink of each region and country convey a universe of values, customs and ideas—in other words, an entire culture. Among the rituals associated with Mexican food, that of tequila occupies a special and increasingly important place. More than just an alcoholic beverage, tequila has become an element that allows people to feel inducted into a certain tradition and made privy to certain knowledge. Tequila's value as a rite of passage into the universe of Mexican traditions only adds to the pleasures of its flavor. As tequila penetrates to the core of society through its history and customs, its presence extends from the working class to the very wealthy, from unrefined manifestations of mass culture (which can pertain to the upper classes) to the greatest degree of cultural sophistication (which can be found at a popular level). In the shadow of tequila, there flourishes a world that constantly reminds us of Mexico's traditional arts. This is the world that we have begun to explore in this edition of *Artes de México*. We want to add elements of flavor and meaning to our reader's initiation into the ritual of tequila. There are many fields to explore and mysteries to unravel. We first asked the question: Why did a strictly regional drink from Jalisco become a national symbol? Alfonso Alfaro responds with an eloquent and thorough study. With unequalled expertise, José María Muriá tells us of the history of this industry, while Margarita de Orellana recounts the story of Casa Cuervo, one of the oldest companies in Mexico. Her factual microhistory is followed by a field report by Magali Tercero, who interviewed individuals working in an industry caught between two points in time. Maria Palomar presents us with the impressions of different travelers who learned to imbibe the tequila landscape. There, amid fields of agave, Juan Palomar guides us through the Edenic gardens that tequila factories have created, which contrast with the thorny terrain surrounding them. Extending the aesthetics of the land to other aspects of culture, one discovers that a poetics of tequila exists in Mexican cinema and literature. Vincent Quirarte analyzes this phenomenon with the science and patience of a connoisseur of both books and tequilas. Among the works he cites is an interesting poem by Efraín Huerta about the celebrated glass in which tequila is served—the *caballito*. We have reprinted this poem so that our readers can savor it at their leisure. And as an exceptional aperitif, we present a poem about tequila that Álvaro Mutis wrote especially for this issue. To finish in the best way possible, we offer our readers an exceptional dessert: "Miraculous Tequila," a witty and intelligent short story written for this issue by Laura Esquivel. We hope that this tequila tasting menu will prove as delicious for our readers as it has been for us.

Translated by Susan Briante.

TEQUILA: PANEGYRIC AND EMBLEM

Álvaro Mutis

for María and Juan Palomar

Joel Rendón.
The Country Gentleman,
1994.
Linocut.

Page 81:
Joel Rendón.
The Aperitif, 1994.
Linocut.

Tequila is a pallid flame that passes through walls
and soars over tile roofs to allay despair.
Tequila is not for men of the sea
as it fogs their instruments of navigation
and disobeys the unspoken orders of the wind.
On the other hand, tequila is pleasing to passengers on trains
and to those who run the locomotives, for it is faithful
and blindly loyal to the parallel delirium of the tracks
and to the brief haven of the stations
where the train stops to testify
to its inscrutable fate: to wander according to unappealable laws.
There are trees in whose shadow it is a delight to drink tequila
with the tranquility of someone who preaches even to the wind
and there are other trees where tequila cannot bear the shade
which eclipses its powers and in whose branches sways a flower
as blue as that proclaimed by vials of poison.
When tequila waves its flags with their jagged edges
the battle grinds to a halt and the armies turn back
to the order they were intending to impose.
Tequila is frequently accompanied by two attendants: salt and lime.
Yet it is always willing to engage in dialogue,
backed by nothing other than its lustrous transparency.
At first, tequila knows no borders.
But certain climates favor it
as do certain times, which it possesses with full authority:
when night comes to pitch its tents,
in the splendor of a midday without obligations,
in the most towering darkness of doubt and confusion.
That is when tequila cheers us with its lesson of consolation,
its infallible pleasure, its frank indulgence.
There are also dishes that demand its presence:
those favored by the land that witnessed its birth.
It would be unimaginable should they not consort with millenary confidence.
To break that pact would be a serious affront to a dogma prescribed
to make lighter the harsh work of living.
If "gin smiles like a dead child,"
tequila watches us with the green eyes of a sentry.
Tequila has no history; there are no anecdotes
confirming its birth. This is how it's been since the beginning
of time, for tequila is a gift from the gods
and they don't tend to offer fables when bestowing favors.
That is the job of mortals, the children of panic and tradition.
Such is tequila and so shall it lead us
unto the silence from which no one returns.
So, blessed may it be, unto the end of our days
and blessed be its daily diligence in resisting that end.

Translated by Mark Schafer.

TEQUILA AND ITS SIGNS: IN PRAISE OF THE COUNTRY GENTLEMAN

Alfonso Alfaro

What does a name taste like? How can lips and tongue decode, in a single gulp, dense symbols and forgotten stories that speak of so much care, so much rain, so many destinies blended into a single pleasure?

Tequila is deceptively innocent. Its impalpable ingredient, pure to the point of invisibility, conceals a density of signs, charged with the opacity of time and memory.

♦ ♦

Mexico is a fascinating metonymy: an immense and multifaceted country that has usurped the name of a single city and its locally circumscribed ethnicity. The Mexica founded a capital and an empire, on whose ruins the Spaniards erected a nation with far vaster contours and so complex a nature that no Tenochca warrior could have identified with it. The ceaseless friction of centuries and signs has enabled this nation to define its identifying marks, emblems, stereotypes and distinctive frames of reference; and to construct a physiognomy that claims to predate all memories. Among its representative insignia, there is one that everyone can agree on: a refined elixir that on occasion approaches the highest degree of perfection possible for human creations. Why should a centralist state enamored of the Aztecs have chosen for its national beverage this liquor from a peripheral, coastal province, far removed from the Mexica world?

Tequila, like the nation, was born Mestizo: a combination of American agave and European stills bearing the Arabic name of alambic. (Wine was always the drink of Spaniards or locally-born Criollos, while pulque represented the indigenous world.) For the most part, the blue fields of agave were neither extensive estates nor small parcels. Somewhere between the vast inherited properties of wealthy families and the modest holdings of indigenous communities, they remained average-size haciendas or even large ranches, as in the case of properties elsewhere in Jalisco where other crops were cultivated. Following the colonial period, their owners tended to stick close to home, avoiding life in palatial surroundings, as they were less affluent and less powerful than the titled patricians of New Spain's viceregal court.

Of course, they never ceased to belong to a world of nobility, as we can see from their businesslike management of property, their patrimonial strategies, their severe code of behavior masquerading as simplicity and candor, and, above all, their unquestioned self-image.

Like the people who had amassed or inherited great fortunes, these prosperous landowners of European or mixed descent gradually built a homogeneous space where the tyranny of birth and blood lost some of its force, enabling it to become a matrix for the burgeoning Mestizo identity.

These country gentlemen (whether cattle-ranchers, corn-growers or tequila-producers) were invariably horsemen. It was in the rodeo-like rituals of *charrería* that they found their natural and distinctive expression. And in the transparent warmth of tequila, their palates recognized an aesthetic universe that was theirs alone, defined by the smell of the soil, the sharpness of shadows etched by relentless light, terse phrases that needed no repetition, a world of emphatically male values and pleasures. There was much that these gentlemen held in common with their tequila: the open country, tradition, hard work, integrity and spiritual force.

The image of these country squires and that of the beverage that came to represent them were jointly admitted into the company of foundational patriotic symbols. They were to contribute to the creation of stereotypes with which people of widely varying geographical and social origins could identify. Their Mestizo culture, attachment to the land and solid family instincts made these affluent farmers seem like attractive and convivial figures to the peasantry and the nascent urban masses, lending them credibility as role models. At the same time, they found acceptance and kinship in the cultural world of the elite, thanks to their Spanish background, entrepreneurial values, gallantry and sense of honor. Thus an intermediary typology was born: less remote and controversial than that of the great landowners and Criollos in the wake of Independence and Revolution, less harsh and painful than the image of the Indian or *campesino*.

The nation had been founded by means of a brutal process carried out by the citizens of New Spain and Independent Mexico. They had ripped two images apart, one which celebrated imperial Aztec glory, the other representing the contemporary Indian. In this way they equipped themselves with something that demanded both loyalty and veneration: a grand "fresco" that recreated and exalted a great but vanished civilization, revealing to all the inhabitants of the new motherland certain aspects of themselves to be recognized and admired—traits that justified their pride in belonging. But while the sublimation of pre-Hispanic grandeur effectively gave rise to a new political imaginary, the cultural imagination was demanding more familiar emblems that might be more suited to a country that was changing so rapidly.

Societies like Mexico's, which are not entirely conditioned by traditional, communitarian systems of organization, nor by the cult of modernity based on the citizen as individual, include among their figureheads the image of the emancipated paterfamilias—lord of himself, his progeny and his properties. In this regard, the independent, enterprising, affluent country gentleman provides a point of departure for the establishment of a type: European with some

Joel Rendón.
The Agave that Didn't Produce Tequila, 1994.
Linocut.

Joel Rendón.
Woman Harvester, 1994.
Linocut.

Indian blood (or vice-versa), and yet a man who is all of a piece, the undisputed ruler of his fields and pastures, strict with his children and paternal toward his servants, pragmatic, firm to the point of stubbornness, valiant to the point of temerity, and relishing sensual pleasures of every kind; a pious Christian, yet unable to reproach himself for succumbing to the sins of the flesh.

The idealized vision of this tough, industrious man, king of his own castle, crept into the fantasies of the Mexican people during the early nineteenth century, when the country was still radically polarized between those sprawling estates and the indigenous communities. One Liberal ambition was to encourage the formation of a landowning economy, as the necessary prerequisite for a democratic society. The United States acted as both an incentive and an unattainable ideal in this respect. No doubt many people would have preferred the less labor-intensive self-run farm system to that of haciendas and ranches, but agrarian legislation during the Reform period was clearly intended to promote the emergence of a class of small and midsized rural entrepreneurs.

This utopia of a nation of landowners rapidly collapsed under the Liberal economic programs of the Porfirio Díaz regime—programs in fact designed to aid in its construction. The conversion of nontransferable lands into commodities only accelerated the growth of *latifundismo* (a system of land distribution based on large estates or latifundia) and led ultimately to the Mexican Revolution. All hopes were destroyed by the very people who had promised to realize them, and optimism was overwhelmed by the violence of war. A new technological and cultural revolution would revive those hopes in the popular imagination, with a spontaneity that cannot be created either by force of will or by manipulation, in the same way as the alchemy of dreams.

During the golden years of cinema in the 1940s, Mexicans of every social class discovered their own "Rancho Grande"—an idyllic setting with flower-draped ranch houses, bursting granaries, fine horses and songs to stir the heart. This world was a far cry from both the moribund aristocracy of the large hacienda and the tiny plots of farmland that yielded only struggles and deprivation. It was the vehicle whereby a country traveling the road to modernity and industrialization could manufacture memories to feed its nostalgia, a rural setting that could have been bucolic. This paradise succeeded in staving off ethnic and social antagonism and even mitigated certain conflicts at the root of this society's need to impose its images of paternal authority and manliness (as Octavio Paz has shown). The idealized prototype of the country gentleman with his mariachi music and his tequila—with which so many Mexicans sympathized or identified—became a common cultural reference thanks to the wide distribution of movies that transcended social and territorial divisions, except in cases of extreme cultural marginalization.

Tequila thus became synonymous with these mythical lords of the screen: free, fierce, sensitive, frank, spirited and seductive. It conquered a place in the symbolic representations of the most diverse social sectors. Its taste and smell and its memorable body have transmitted these signals—and told all these stories—ever since. Even for those who have not yet enjoyed the experience, its three syllables evoke clarity and wholeness of character, the refinement of virile tenderness, the disquieting juices that lie dormant within the long razor-sharp leaves (an inspiration to Roland Barthes before he ever tried it).

But, like fire, this firewater—the gift of mythological deities—houses a genie with a potentially savage smile. In the magical obscurity of neighborhood bars or town squares, there materialized some of the most ancient and terrible phantoms of Mexican popular culture—those that associate alcohol with intoxication and pleasure with false euphoria.

Semiology alone—or how the elements of a cultural imaginary are represented—is not sufficient to explain the status enjoyed by tequila among the symbols of Mexican identity. At the same time that cinema reached its apogee, a genuine domestic market was being created in Mexico. The tequila industry was unique in that it dealt with a distinctive, vernacular product, able to hold its own against the challenges of such a broad commercial space. Over the following decades, the tequila giants were equally alert and combative, ready for any adventure and profiting enormously from the market's gradual opening to the rest of the world.

Tequila thus underwent a new blending process in the alliance of two apparent contradictions: on the one hand, uncompromising standards of quality and traditional methods; on the other, a modern attitude toward management, open to technological innovation, capable of devising bold strategies in the quest for new markets. It must now confront the obstacles that premature ambition and lack of historical perspective place in the path of any product displaying prestige and excellence, and whose greatest long-term assets will always be the genuine quality of its raw materials and the authenticity of its manufacturing process. Owing to its rich heritage—combining its Mexican, Spanish and Arabic origins, as well as its symbolic references and entrepreneurial culture—tequila is now traveling to distant shores. It holds the keys to the gates of desire, although in every port and every neighborhood its symbolism may be interpreted differently. Abroad, the relationship between the two representations is seen even more plainly: the attributes of Mexico and those of tequila overlap, merging into a single image.

It was in large part the movie industry that shaped stereotypes about Mexico in the popular imagination of the West, and thus led to their diffusion through a new mass culture on a global scale. Thanks to Margarita de Orellana's essay on the subject, we know of the crucial role that American films about the Mexican Revolution played in the formation of these fantasies. The Western made its own contribution, and today, whether in Tunisia, Bangkok or Bordeaux, every ordinary person harbors the same image of Mexico as a harsh, wild land, scorched by the sun and the wind, glinting like steel, its sky pierced by maguey spikes.

The melting-pot aesthetic, dressed in the finery of Manhattan and Beverly Hills, has infiltrated the trendy elites of Europe, bringing with it the double token of exoticism (Mexico, tequila) to be enthusiastically downed in the fashionable bars and cafés of Neuilly and Les Marais as though the drink and the country were one and the same.

Meanwhile, the Mexico that foreigners saw—the Mexico of Eisenstein, Artaud, Lawrence, Breton, Lowry, Traven, Bowles or Burroughs—has implanted in a cultured and cosmopolitan international public the specter of a sedate and arcane country, a breeding ground for paradox, ruled by invincible forces; the birthplace of great civilizations which surface in powerful and enigmatic layers. In association with this image, tequila is seen as the liquor of an ancient land, the refinement of gentlemen, a potion of occult wisdom which the seeker takes in order to venture (through an exploration of the tongue and of the veins) into the mythical land of the five suns.

More prosaically, it came to pass that members of the Mexican urban middle class were blessed with an unexpected and priceless gift. Sometime in 1982, many drinkers who could no longer afford their second-rate Scotch, insipid but imported wines and extravagant cocktails, discovered a forgotten treasure on their shelves: magnificent bottles of tequila which *malinchismo*—or the infatuation with everything foreign—had forbidden them to enjoy.

The hoary past of this now venerable monument (unveiled by José María Muriá) has been clandestine and evangelistic, liberal and distinguished. Each of its ages is written into its substance and its signs.

♦ ♦

The tongue recognizes sensations, the brain, meanings: taste is the meeting of the two. We know what tequila and its name taste like. We can only conjecture what they know: what lingers in the memory of maguey, from whose body emerged—as María Palomar has noted—the paper for certain codices and the cloak made of the agave fiber called *ayate.*

Besides its subtleties and its warmth, tequila is also the vehicle of images and myths, the faithful witness of a generous world. To approach it is to savor some of the finest things remaining of that universe of the country gentleman, spawned by a land where time still unfolds like a plant, and where men have not relinquished the privilege of watching the sunrise on horseback, and listening to nightfall from a leather chair on the verandah.

Translated by Lorna Scott Fox.

TEQUILA MOMENTS

José María Muriá

Although the agave plant is not exclusive to Mexico, nowhere else is it more integrated into the landscape, and into the people's sensibility and lives. The agave (maguey) was called *metl* in Nahuatl, *tocamba* in Purépecha and *guada* in Otomí, but the word "maguey" came to us from the West Indies, on the lips of the conquistadors.

It no surprise, then, that in nineteenth-century Mexico—obsessed with the land and seeking the essence of what was "national"—the maguey constituted one of the most essential elements for identifying a landscape as uniquely Mexican.

According to experts, there are more than seventeen varieties of agave. But more so than its botanical traits, this article will focus on the relationship between human history and the maguey, and how its alcoholic derivative, tequila, has shaped that history. Manufactured in the Jalisco region and considered the quintessential national beverage, tequila is consumed both domestically and internationally. Similar hard liquors produced from the maguey in other regions of Mexico are usually given the generic name of "mezcal" and are further distinguished by the name of the town where they are produced. Thus, we have mezcal from Oaxaca, Quitupan, Tonaya, Tuxcacuesco and Apulco. Nonetheless, tequila is considered the quintessential Mexican drink, just as the mariachis and *charros* (cowboys) of Jalisco exemplify Mexico's music and its people.

TEQUILA'S SIGNS AND GEOGRAPHY

From an etymological standpoint, there are various interpretations of the word "tequila." Most think the word comes from the Náhuatl *téquitl* (duty, job or task) and *tlan* (place), and refers to a site where certain tasks were performed. On the other hand, as Jorge Murguía notes in his *Toponimia náhuatl de Jalisco*, it could mean "the place of cutting" from the verb *tequi* which means "to cut, to work or to toil," according to Ángel María Garibay Kintana.

Tequila, Jalisco, is a town of pre-Hispanic origin, a population center with more than 18,000 inhabitants, about sixty miles northwest of Guadalajara. Within the municipality, a peak that was once an active volcano rises nearly 10,000 feet above sea level, shaping the landscape. Tequila is also the name of the mountain valley where the town lies. But the word has not been confined to the geographical limits of the town. The town's importance in colonial times made it the capital of a district of the New Kingdom of Galicia, also bearing the name of Tequila. At the end of the eighteenth century, the magistracy—which had almost the same borders—became a part of the mayoralty of Guadalajara.

At the dawn of Independence it was denominated a department; during the political upheavals of the nineteenth century, it was reduced to a smaller district, and then became a department again, until these geopolitical entities were abolished during the Revolution of 1910. It bears noting that the department coincided almost exactly with the tequila-producing region, before tequila-making began to spill over into neighboring areas. Finally, from 1872 to 1891, Tequila was also the name of the twelfth district of the state of Jalisco.

A SPECIAL BLEND

In Náhuatl culture, the maguey was considered a divine creation, endowed with supernatural powers. According to Antonio Caso, the maguey was a representation of Mayahuel, the goddess who, like the Venus of Ephesus, had 400 breasts to feed her 400 children—the *centzon totchtin.* These innumerable gods and goddesses of intoxication were worshipped in various mountain communities and their names derived from the tribes of which they were the patrons.

"The maguey plant, or agave, was extremely important to the domestic economy, since its sap was fermented to make a kind of beer (*sic*), *pulque*," writes George C. Vaillant. This pulque was not only a liquor and ritual beverage, but also served an important nutritional function as it compensated for the lack of vegetables in the Mexican diet.

The Franciscan brother Toribio de Benavente, nicknamed Motolinía by the Indians, was deeply impressed by the variety of uses indigenous people found for the maguey, as noted in his *Memoriales* (Memoirs). Besides pulque, Fray Toribio admired "how they use those spears of *metl* to make thread for sewing, cords, rope, halters, saddle straps and rope headstalls, [...] clothing and shoes, which the Indians call *cactli.* [...] They also make soles for sandals like those from Andalusia, blankets and cloaks." Even the barbed spears were of great utility, according to the monk. He mentions that the dried leaves were used to roof homes, to make paper or simply to kindle fires whose ash "is very good for lye." Nor did he forget the curative properties of pulque and agave juice, as shown in figure 596 of the Florentine Codex. Fray Juan de la Concepción, a little-known Discalced Carmelite, also described the wonders of the maguey. An octave from his "Romance histórico" is quoted by Lorenzo Boturini in *Idea de una nueva historia general de la América septentrional* (Outline for a New General History of Northern America): "Twisted fibers from the maguey/ gave rise to many volumes of history/ with many colors on their pages/ forming characters out of knots./ Brushes were better than quills/ to copy onto cotton the likeness/ of divine heroes, who by touch / judged objects by their massiveness."

It seems inevitable that a society so prone to associating anything good around it with divinity would deify a plant that provided them with so many essential things.

The fact that no source mentions any kind of intoxicating drink except for those that are simply fermented has led to the general conclusion that the process of distillation was completely unknown in pre-Hispanic Mexico. In this way, the use of the maguey's heart to make spirits is one of the most important products of the cultural blending that began when Spanish dominion was established in our Mexican lands.

NEWS OF COLONIAL MEZCAL WINE

Motolinía did write something about the production of a liquor by cooking mezcal or the heart of the maguey, but like many texts of sixteenth-century New Spain, it is written in a manner confusing to today's readers. He wrote that he heard it called *mexcalli*, "which the Spaniards say is substantial and healthy." If this is true, then the so-called "mezcal wine" (*vino de mezcal*) was one of the first products obtained from native North American ingredients using European techniques. But it also seems likely that when the Spaniards came to what is now Jalisco, mezcal was still not produced in other parts of the colony.

Nonetheless, there is no documentation from the first century of colonial life (descriptions, accusations, refutations and so forth) to suggest that mezcal wine was being produced in significant quantities. There is a reference—though unsubstantiated— stating that "in the year 1600, Pedro de Tagle, Marquis of Altamira and Knight of the Order of Calatrava, came to live in Tequila, and upon his arrival established the first mezcal wine factory in New Galicia." It does not concern us here whether Tagle actually came to Tequila, or if "he was able to amass a large fortune within a few years," as was also stated. Rather, it is important to note that he could not have been the first to manufacture mezcal in the magistracy of Tequila. He may, however, have been among the first producers of large quantities of mezcal wine for anything other than personal consumption.

In fact, the first reliable reference to tequila comes from *Descripción de la Nueva Galicia* by Domingo Lázaro de Arregui, written around 1621, in which he states that, "*mexcales* are similar to the maguey, and their roots and hearts are eaten roasted. From the roasted fleshy leaves, they are able to squeeze out a juice from which, little by little, they obtain wine, clearer than water, stronger than moonshine, and with the same flavor. And although the mezcal from which it is produced confers many virtues, the vulgar and excessive manner in which it is consumed debases the wine and even the plant."

An industry, however small, could only be established in a society with more sedentary habits and a larger population. Thus, it was not until the Spaniards were established in the New World and their children became Criollos that initial attempts could be made to manufacture mezcal wine on a larger scale than that required for personal consumption.

The village of Tequila is a good example of the shift in the source of wealth, from royal mines to agricultural work. In 1563, Tequila was no more than a small indigenous community, paying tribute to the Crown as part of the larger mayoralty of the mines of Xocotlán. Seven years later, however, Tequila was named capital of its own district and entered an economic upswing due to agriculture. This wealth—amassed through agrarian production, though more gradually than the riches brought about by a lucky sword or pickax—was what converted the Spaniard into a Criollo and linked his life and fortune to the land. In this way, small and impoverished agricultural centers were transformed into productive haciendas. By the early eighteenth century, when Guadalajara became the regional center, various economic activities became important. In his *Historia de la Nueva Galicia en la América septentrional* (History of New Galicia in Northern America, 1742), Matías Ángel de la Mota Padilla (1688–1766) mentions the prohibitions, reprimands and penalties imposed upon those who manufactured mezcal wine, distributed it or consumed it in excess. But he also indicates that the manufacture of this product increased in spite of all this.

With the failure of Prohibition, the authorities of Guadalajara decided to regulate the manufacture and sale of mezcal wine. In the 1640s, they ordered the creation of sufficient state stores to fill the coffers of the public treasury for funding public works projects. Over a rocky century, the state store system was solidified and lasted until its abolition by the independent government.

THE INDEPENDENT TRAVELER

The Guadalajara region largely emerged from isolation in the seventeenth century. Little by little, the northern Pacific coast began to develop and Guadalajara—the natural source of supplies due to its proximity—became aware of the new market and its benefits. On the other hand, the flow of goods from Asia also grew considerably in the mid-eighteenth century. Among other things, the Crown opened the auxiliary Pacific port of San Blas. Given that the tequila region lay midway between Guadalajara and San Blas, the port grew substantially during the mid-1700s, and the area began to supply the new Spanish colonies in northeastern Mexico. "The mezcal wine of this land" soon became the primary export from what is now the state of Jalisco. The mezcal of Tequila aided the Spaniards in overcoming loneliness in the northern lands. In turn, it was also useful to Jesuits and Franciscans in their missionary duties, as it helped the Indians endure a lifestyle vastly different to the one to which they were accustomed, while they waited with patience and resignation for Eternal Bliss.

The town of Tequila also quenched the eager thirst of those who worked in the nearby Bolaños mines, which prospered toward the end of the eighteenth century. The "wine of this land" gained renown in Mexico City for its superior quality, even though other mezcals from nearby regions were sold in the capital at a much lower price. Many years would pass before the agave of Tequila was recognized as a distinct species, though discerning palates could tell the difference even then. Still, there is little information about mezcal wine in the late eighteenth and early nineteenth centuries. Prohibition periodically disciplined the industry, so merchants and producers worked with local authorities who agreed to downplay their profits.

When the struggle for Mexican Independence began, there was a considerable increase in both the production and sale of tequila. But from 1815 to the end of the independence movement, the industry suffered a marked decline, mostly because the port of Acapulco was reopened and San Blas again became an auxiliary port.

After 1821, mezcal producers, like most local businessmen, primarily wanted fewer trade restrictions in order to find an outlet for surplus production during the good years and for unsold product during leaner times. In the early nineteenth century, there were twenty-four ranches and haciendas—twelve in Tequila, twelve in Amatitlán—most of them rich in agaves. Thanks to a study by Ramón Charles Perles, we know that since 1795, "the wine of this earth" was produced on a large scale by José María Guadalupe on the Cofradía de las Ánimas hacienda, purchased in 1758 by his father José Antonio de Cuervo. This distillery, or *taberna* as it was also known, was inherited by the daughter of José María Guadalupe, María Magdalena Ignacia. In Tequila, she married Vicente Albino Rojas, who became the factory's administrator and later its heir.

During the entire nineteenth century, it was customary to name distilleries after their owners, adding the Spanish feminine suffix *-eña* to the family name. La Floreña, La Martineña, La Guarreña, La Gallardeña, La Quintaneña—all are names of factories which played an important role in the latter half of the nineteenth century.

However, other companies remained loyal to the liberal-positivist vocation, embodying the theme of order and progress, using names to communicate their convictions to the common man. The factory La Antigua Cruz (The Ancient Cross) was renamed La Perseverancia (Perseverance) by its new owner Cenobio Sauza, and Jesús Flores, owner of La Floreña, gave his business the name La Constancia (Constancy).

A decree dated October 3, 1835 forced greater provincial dependence on the capital. Through this ordinance, state legislatures were replaced by district boards, and governors had to report directly to the Mexican president. Those who had learned to generate and handle their own resources and return profits to their community during the ten federalist years could not tolerate outside control of their economic activities and management by people in the distant national capital who would decide how investments had to be made.

The following decades proved ill-fated for the country, but without a doubt, the debacles of Texas independence, the U.S. invasion of Mexico and the French intervention helped to forge nineteenth-century Mexico's identity and to accentuate its national spirit. In 1854, French writer Ernest de Vigneaux noted that, "Tequila lends its name to the mezcal liquor, in the same way Cognac does to the liquors of France." While many years would pass before the name tequila became common in the highest echelons of trade and industry, it is evident that the word already served to identify the mezcal wine manufactured in the region.

During the tumultuous events of the nineteenth century, there was no precise data available on mezcal production. Nor were there concrete figures on local financial assistance to the liberal armies, but one can examine troop movements and use other indications to deduce that the department of Tequila was prominent in the defense of the constitution and its reforms. With the restoration of the Republic and the consolidation of the liberal state, tequila-production matured into a true industry.

It is hardly surprising that a prominent tequila-producer, Antonio Gómez Cuervo, was named provisional governor and military commander of Jalisco, heading the first state government in the restored Republic. Gómez Cuervo did not miss an opportunity to protect his own interests or those of his staunch supporters, including his fellow tequila-producers and his friend Ramón Corona. Without a doubt, this incipient industry owed its development to the man who, by hook or by crook (and with many setbacks), managed to be repeatedly installed in the government palace before finally retiring in 1871.

In January 1872, the government of Jalisco yielded to pressure from tequila-producers and ordered the establishment of a new district—number twelve—comprised of the old departments of Ahualulco and Tequila. The political leadership was headquartered in Tequila, a village which two years later would receive the title of city, "in reward for the patriotic and valiant conduct observed by its inhabitants" against the insurgent troops of Manuel Lozada, the legendary rebel leader who was known as "the Tiger of Álica."

REVOLUTIONARY TEQUILA

In spite of its history, Tequila and its neighboring regions inexplicably declined around the turn of the century. Upper-class Mexicans' taste for all things French was tequila's foremost enemy. Francophilia reached such an extreme that tequila-drinkers could only be found among the *populacho*, or masses. Nonetheless, tequila consumption grew considerably.

In the end, it was the Mexican Revolution that promoted a new attitude which popularized tequila. With the defeat of General Porfirio Díaz's long-lived dictatorship in 1911, Francophilia was also relegated to the past, and the entire country embarked on a search for native expressions and customs to strengthen the Mexican identity. Drinking tequila as opposed to imported liquors became one of those gestures, but it went even further. The government itself consciously portrayed tequila as a symbol of the nation. During its heyday in the 1930s and 1940s, the Mexican film industry also contributed greatly to this image, promoting particular stereotypes of what Mexicans were like and what they did.

Like many popular songs of the era, the movies played an important role in establishing tequila's increasing fame. Rumors that it was the best remedy to counter a Spanish Flu epidemic that was spreading through northern Mexico around 1930 had a lot to do with it, and were instrumental in creating a market for small bottles that were manufactured in the industrial city of Monterrey as an option to distributing tequila from unwieldy casks. At the same time, the petroleum boom on the Gulf coast of Mexico boosted tequila consumption, thanks to the introduction of pint flasks that were easy to handle and to carry.

In the 1940s, the tequila industry was ready to compensate for the lack of whiskey whose importation into the United States ceased during the Second World War. Tequila exports reached dizzying heights. However, the rapid decline that came with armistice forced the industry to make great efforts to expand the domestic market and look for consumers abroad.

In the 1950s, tequila began to be produced with the best technology then available. Many factories had to find ways to maintain high production levels without sacrificing quality, especially since certain brands with lower alcohol content were more appealing to the average consumer. Moreover, producers were able to meet increased demand once they learned that the region where blue agave was cultivated could be extended without affecting quality. However, it is unfortunate that despite many international accords and conventions—which state that tequila may only be manufactured in designated regions of Mexico—counterfeit tequila is still produced in several countries whose governments tend to look the other way.

Today, a vast central region of Jalisco is covered by the distinctive landscape of agave fields. Directly or indirectly, the industry employs some 300,000 people who are proud to participate in the manufacture of a product so closely tied to the life of western Mexico, and honored to offer a truly Mexican drink to the rest of the world. Tequila has a long and tumultuous history, closely linked to that of its region of production. It is clearly a cultural hybrid and a rural inhabitant like the people of Jalisco themselves. It has a semi-clandestine and anarchic past. When it tried to escape urban condemnation, it underscored its uncompromising regionalism in the face of New Spain's hegemony. Populist, federalist and liberal in the nineteenth century, and a drink for the masses according to Europeanized nineteenth-century tastes, it soon became a truly revolutionary and nationalistic drink.

Translated by Sara Silver.

A MICROHISTORY OF TEQUILA: THE CUERVO CASE

Margarita de Orellana

José Antonio de Cuervo and his sons, José María Guadalupe and José Prudencio, never dreamed that the hundreds of blue agave plants they cultivated in the eighteenth century would become millions as time went by. Nor could they guess that they were to be remembered as the founders of a tequila-producing dynasty, at the head of the oldest company in the business and one of the most successful. The Cuervo *taberna*, or distillery, has changed names more than once over the last two hundred years. But as it turned out, each of its proprietors made contributions not only to the family business but to the history of tequila itself, and to the history of the region.

It is known that the mezcal plant was initially harvested in three small valleys of New Galicia: Amatitlán, Arenal and Tequila. There is still no decisive evidence as to exactly when the Spaniards first distilled the local agave juices. Historian José María Muriá writes that in 1621, reference was made to an abundant agave harvest, despite the prohibition on making alcohol from this and other sources. He also tells us that toward the middle of the same century, agave cultivation was regulated, largely to create a state monopoly and accrue more taxes. In the long run this was highly profitable for the public works then underway in Guadalajara. Such taxes continued to be collected throughout the eighteenth century and part of the nineteenth, and even during the strict prohibition decreed by Charles III of Spain between 1785 and 1795. These tributes must have reached considerable sums, as we can deduce from Mota y Padilla's plan in the mid-eighteenth century to partially fund the construction of the University of Guadalajara with tequila profits.

It is possible that the Cuervo company, which recently celebrated its 200th anniversary, is in reality far older. It may indeed be one of the oldest firms in Mexico, perhaps having originated prior to 1795. We cannot even know for sure whether José Antonio de Cuervo—who in 1758 purchased some land in what is now Tequila—had been cultivating agave since the early years of that century. Nor do we know to what extent he was affected by the decade of prohibition. However, there is no doubt that his son, José María Guadalupe Cuervo, was the first to obtain a "mezcal wine" production license from Charles IV in 1795, as soon as prohibition was lifted. Before this, in 1781, his brother José Prudencio had acquired lands from the Hacienda de Abajo, and this was where the Cuervo distillery was later situated. The lives of the Cuervo family and the history of the village of Tequila became entwined when José Prudencio got involved in the construction of the parish church, from 1771 to 1775. This fact leads us to suspect that although the Cuervos only received their manufacturing license in 1795, they had been making tequila at least since mid-century. The license represented an opportunity to expand the business, now that the product could be openly made and sold. One document from 1801 records the following: "As a subtenant of the *cribas* (receptacles) of the spirits of this soil during the last five-year period (1795–1800) and the present one (1800–1805), please Sir, state the number of cribas coming from this town, [...] to which José Guadalupe replied, the number approximates 400,000 a year, each requiring the burning of three loads of firewood."

In 1805, José Guadalupe declared himself to be the owner of the distillery, the family house and twelve fields containing hundreds of thousands of mezcal plants, especially the species known as *chino azul* (ruffled blue) and *manolarga* (longhand). The town of Tequila had grown into one of the wealthiest boroughs of the Guadalajara jurisdiction, boasting a church which was "surely the finest monument in the entire province," according to a late-eighteenth-century account.

When José Guadalupe died, he bequeathed all his property to his children, José Ignacio Faustino and María Magadalena de Cuervo. The latter married Vicente Albino Rojas, offering him all her goods and chattels. According to Muriá, Rojas was an individualist—like so many tequila men—who could not tolerate having the business remain under his father-in law's name (Taberna de Cuervo), so he rechristened it after himself: La Rojeña. Vicente managed his distillery with flair, and his fortune increased by leaps and bounds. He boosted production and distributed mezcal wine not only within Jalisco state, but also to fairs and festivals as far away as Aguascalientes, Zacatecas and San Luis Potosí. In the mid-nineteenth century, La Rojeña was the most renowned of all of Tequila's distilleries, with three million agave plants. Vicente's grandson, José López Portillo y Rojas, wrote a nostalgic memoir called "Nieves" describing payday at the growing factory: "My grandfather, seated at the head of a colossal oak table with a scribe to his right marking off the lists, counted out each wage packet according to the sum announced by another employee. In a strong voice, this man would bark out the worker's name, the balance of his account and the amount owed to him in cash and kind (meat and corn). The table was always piled with sacks of coins of every denomination, while more coins tantalizingly filled a variety of open gourds and metal pans, causing the rustic laborers to cast furtive, respectful glances at this dazzling display of lucre. Other helpers distributed the corn, which was scooped out using a wooden bowl and leveled with a strickle. A quartered ox hung from the iron hooks of a portable frame. Its flesh, deftly sliced by a burly butcher, provided the coveted meat ration assigned to each employee by the loud cries of the announcer."

Like other distilleries in the region, La Rojeña was obliged to ride out the storm of political instability that lasted most the nineteenth century, which was plagued by constant wars and foreign interventions. López Portillo y Rojas records that his grandfather's fortune shrunk considerably through the extortion of one or another faction fighting the War of Reform. However, an account from 1843 describes the town of Tequila as follows: "Towers of smoke loom up on all sides, disgorging great quantities of vapor into the air like gigantic monsters, while all around, the fields are sown with American agave."

In the nineteenth century, three men were responsible for the growth of the Cuervo firm: Vicente Albino Rojas, Jesús Flores and José Cuervo Labastida. Although the latter only took over in 1900, he had worked at the distillery during the latter part of the 1800s. All three entrepreneurs showed genuine concern for the small neighborhoods where their economic activity was centered. Distillation was the source of their wealth and the reason for the political power wielded by these localities. Other industrialists had developed similar power bases in the political life of Tequila and its environs.

Vicente was never to see the arrival of the railroad, with its many benefits. He died leaving everything to his daughters, Inés and María Rojas de López Portillo. They transferred La Rojeña to Jesús Flores, owner of two distilleries, La Floreña and La del Puente, later rebaptized La Constancia. We do not know precisely how or why La Rojeña passed into the hands of this new owner, but there is no doubt that he breathed new life into the industry, making it one of the most important in the region. Anticipating the effects of the coming railroad, Jesús Flores prepared. Having expanded the acreage under cultivation, he moved the ovens, mills, fermentation tanks and stills out of the old José Prudencio Cuervo building and to La del Puente. The installations were enlarged, merged and renamed La Constancia. When the railroad was built, it replaced the mule teams that had formerly transported La Constancia's tequila to regional fairs, and considerably increased the volume of liquor sent to the port of San Blas. From there it was shipped to other parts of the Mexican Northwest and possibly to the United States. Flores was the first tequila manufacturer to introduce technological innovations into the distillation process. It was not long before the fruits of such investment and modernization began to become apparent. By 1880, he had sold almost 10,000 barrels (around 175,000 gallons) in Guadalajara alone.

Jesús Flores was the first to pioneer bottled tequila; previously, it had always been kept in wooden casks. In order to speed up the growth of the business, he hired staff to supervise the different departments, from cultivation to commerce and distribution.

In 1888, Flores remarried, this time to Ana González Rubio, whose sister Virginia was the wife of another tequila magnate, Luciano Gallardo, whose father owned La Gallardeña. For the next ten years, the couple saw their business prosper. In 1891, President Porfirio Díaz awarded them a certificate and a gold medal for the excellence of their tequila. Although they led a busy life in Guadalajara, they spent long periods in Tequila, enlarging their country property, today known as the Quinta del Refugio. Jesús Flores died at the age of seventy-two, leaving behind his wife who was the executor of his will and his sole heir. In 1900, Ana González Rubio found a new husband, José Cuervo Labastida, who had been the foreman at La Constancia. It was then that the tequila began to be called "José Cuervo" and the factory was restored to its old name of La Rojeña. José Cuervo, a descendant of the old patriarch, began to accumulate patents, awards and trademarks, including "José Cuervo's Great Mezcal Factory in Tequila," "Cuervo" and "La Rojeña." At the turn of the twentieth century, La Rojeña boasted four million mezcal plants grown on its various properties of Santa Teresa, Lo de Guevara, Camichines, Santa Ana, Las Cuevas, La Camotera, Los Colgados, La Fundición, El Colorado, Las Marías, San Pedro and Guamúchil. It owned 280 horses and mules for pulling wagons, and 112 teams of oxen.

The factory prospered under José Cuervo, winning some of the most prestigious international awards at the time, including the Gran Premio of 1907 in Madrid, and the Grand Prix at the 1909 International Food and Hygiene Exhibition in Paris, as well as ten others.

Her marriage to José Cuervo had done little to change Ana González Rubio's day-to-day life. The couple had a new house in Guadalajara and still spent time in Tequila where they were popular figures, having been instrumental in bringing about the town's prosperity. In her memoirs, Ana's niece and future heir, Guadalupe Gallardo, recalls how the couple used to arrive in Tequila after a twelve-hour coach journey, during which the tired horses were periodically reinvigorated with the family product. The servants would fill their mouths with tequila and then spray it up the animal's nostrils, to immediate effect.

"Upon their arrival in Tequila," writes Gallardo, "the whole town hall would be on hand to welcome my uncle and aunt. The next day, the priest would visit them with the latest parish news, and any pressing matters, closely followed by the commission and board of the hospital which they also patronized. José and Anita introduced piped water to the town and renovated the municipal and parish schools. They built covered wash-houses, redid the church floor, donated a public clock, laid an urban railway, paved the streets and enlarged the main square.... When the cemetery became overcrowded, José Cuervo purchased some property, walled it and gave it to the municipality on the condition that the poor might bury their dead there at no cost. The municipality overlooked the latter stipulation."

In light of all this, it is not surprising that José Cuervo had such a strong political influence in the area, as did his colleagues in the industry, such as the Sauzas, the Romeros and the Orendains. Nor is it surprising that there were deep political differences between these families, causing frequent disputes and rivalries. One famous instance of this is the struggle between Liberal and Conservative factions led by the Cuervos and the Sauzas, respectively. All these prominent families opted to diversify their economies during the early twentieth century, once tequila had reached a high degree of mechanization. Some invested in real estate, other in mining, textiles or flour mills. José Cuervo's Hacienda Atequiza grew wheat, beans, corn and chickpeas as well as agave; he also raised cattle.

During the first decade of the twentieth century, life in Tequila went on as usual, hardly suspecting that economic crisis and revolution were just around the corner. However, Guadalupe Gallardo hints that local tempers were not as placid as they might seem: "No self-respecting gentleman was considered fully dressed without a pistol in a studded holster and a wide belt to carry munitions. Scores were settled late at night, after observing the peaceful hour of the *serenata*. Though I recall hearing frequent shots from the direction of the plaza, I was always soothed by the idea that is was just someone high on Dutch courage, firing into the air."

At this time, any tequila manufacturer who had not modernized his methods and equipment was in deep trouble. Jalisco's eighty-seven mezcal and tequila distilleries were reduced to thirty-two by 1910. La Rojeña had no such problems, and was so important that its proprietor nearly became governor of Jalisco when Manuel Cuesta Gallardo was forced to resign (he was subsequently replaced by David Gutiérrez Allende). We can only speculate on La Rojeña's potential wealth had Cuervo been elected.

In 1914, the revolutionary forces were closing in on Guadalajara. Virginia Gallardo, future heiress to the Cuervo fortune, married Juan Beckmann, the German consul there. Beckmann formed part of the parliamentary commission that negotiated the revolutionary troops' peaceful entrance into the city by promising wholesale surrender. The governor, federal army general José María Mier, fled the city while his daughters took refuge at the home of Virginia Gallardo. He later died at El Castillo, during the rout of General Huerta's troops by the revolutionary army.

According to Cuervo's first historian, Ramón Charles Perles, when the revolutionary troops occupied Guadalajara, not only did they consume huge quantities of Cuervo tequila, but they confiscated whole cartloads of the stuff, as well. The fashionable drink at the time was the *torito de Jalisco* (tequila with fruit juice). General Julián Medina's men downed many of these before blowing up a certain railway bridge.

The year 1921 saw the end of José Cuervo's involvement in the tequila industry. After his death, Anita González Rubio was once more the sole head of the family business.

Four new entrepreneurs came on the scene during the twentieth century, living up to their predecessors' example in their intensified efforts to promote the industry's expansion. These men were Guillermo Freytag Schreir, his son Guillermo Freytag Gallardo, and the subsequent administrators and heirs of Cuervo, Juan Beckmann Gallardo and his son, Juan Beckmann Vidal.

When Lázaro Cárdenas began land redistribution in earnest, many of Ana González Rubio's properties were affected. Her nearly 10,000-hectare hacienda at San Antonio del Potrero was reduced considerably. As a result of these changes, only eight distilleries remained in Tequila by 1929, including González Rubio's, two belonging to the Sauza brothers and five others. The 1930s did not bode well for the industry.

In 1934, Guadalupe Gallardo inherited the possessions of her Aunt Ana. Guillermo Freytag Schereir managed Tequila Cuervo until 1957. As foreseen, the decade of the 1930s turned out to be a tough one for many tequila companies. However, Cuervo survived until the market was reactivated with the advent of World War II. Guillermo Freytag Gallardo occupied the post of general manager from 1957 to 1964. He was followed by Juan Beckmann Gallardo—the grandson of tequila industrialist Luciano de Jesús Gallardo, as well as Guadalupe Gallardo's grandnephew—who directed the firm in the same entrepreneurial spirit as his predecessors. At her death, his mother Virginia Gallardo de Beckmann left everything to her four sons: Juan, Jorge, Carlos and Oskar. Today, Juan Beckmann Vidal has managed to maintain Cuervo's advantage over other tequila producers, especially with regard to exports, and is the driving force behind the technological advances that Cuervo has implemented in Jalisco. With a laboratory specializing in the micropropagation of agave, the company hopes to strengthen the plant and concentrate its sugar levels.

The Cuervo family of the eighteenth century could never have imagined that what they had sown would provide for following generations. Today, the company continues in a race against time. Tequila's popularity increases daily and the agaves continue to multiply. But Cuervo has another task ahead of it, and that is to write its own history, salvaging over two centuries of memories from the forgotten past.

Translated by Lorna Scott Fox.

Workingman's Agave

STRADDLING TWO POINTS IN TIME

Magali Tercero

I'm awakened from a light sleep when the car we're driving in swerves slightly, like a horse that knows its way. "The pull of the homeland," says one of the engineers taking us to Tequila. We stop at a bend in the road. Before us stands a brick building, an ample furnished hall with tables and benches made of logs—the *ranchera* section, as it is called by the guides—and, in the modern wing, metal tables and chairs with beer logos. This is the restaurant favored by tequila workers who travel constantly between Guadalajara and the town of Tequila.

Upon entering, I am distracted by a scene foreign to my daily life. "Look at that colt," says another engineer from the tequila factory. Just behind us, three young ranchers wearing chaps and hats are running after the unruly horse that trots from one side of the field to the other.

Hours later I meet El Zarco ("Blue-Eyes"), a living legend in Tequila, famous in his younger years on account of his elegance and good looks, a tall man and still handsome at 86. His eyes sparkle with delight as he begins to speak about his youth. "Bring the photographs I keep upstairs," he says to one of his grandchildren. Thanks to the art of portraiture, then, a different Zarco comes alive. The slim young man mounted on a lovely young mare stares proudly into the camera. He is wearing chaps and a sombrero. "You see? That's how I used to dress to go to the agave fields," he says as he gazes at us with his large blue eyes.

The day before, in an interview with Juan Beckmann Vidal, president of Tequila Cuervo, I learn that El Zarco was even featured in a company advertisement published in "a magazine for men." One day, someone who had managed to get a hold of that American magazine said to him: "But Zarco! Just look at you surrounded by some of the most gorgeous women on earth!"

Beckmann Vidal relates how in the villages, children were made to work from a very early age. "Fortunato Hernández—El Zarco's real name—was in charge of looking after my father, even though my father was older. El Zarco is well-liked by everyone in the town and on the ranches. These ranches were very large, some more than 30,000 hectares situated around five or six haciendas, and he knew every nook and cranny. He was allowed to take my father horseback-riding. During the time of my grandparents, there were many gangs of robbers. Also, since my family was German and World War II had only recently ended, the men of the family had to watch out for themselves. Even thirty years ago I had to live by a rule never to sit or stand with my back to a window.

"My uncle Guillermo Freytag had the strongest character of the family. He would get up at four in the morning to be at the ranches before anyone was awake. To bathe, he would place a block of ice in the tank of his shower and let it melt. Later, he would go to the factory with a huge cigar in his mouth and head to the distilling area to drink two or three shots. El Zarco's first tasks were to take him a bag of oranges and a bottle of tequila, which my uncle loved. So he would leave at about five in the morning, to get to the ranches at about half past six. Usually he returned to Tequila at two in the afternoon. Then he would sit at an ice-cream parlor and, since he was a very tall man, he wouldn't just order a single popsicle, but a tray of twenty-five or thirty. And if he ran into the pitaya or dragon-fruit vendor, he'd buy the whole pailful.

"My uncle was such a big, strong man that he always took two mules with him because one wasn't strong enough to get him where he was going, and he liked to ride around the ranches at a fast trot. In those days there were lots of deer in the fields, and my uncle, who was an excellent shot, had El Zarco chase the animals so that he could shoot them while they were running. And that was what El Zarco's life with us was like. Later, when I moved to Tequila around 1964, it was El Zarco who took care of me. People like Fortunato were very useful: having ridden so extensively throughout the haciendas, they knew the whole countryside and all the ranchers, El Zarco was a real legend."

For Juan Beckmann, the factory's heir and a city boy at the time, country life meant entering into another ambit, where time seemed to stand still, and where he was to live three very pleasant years. The memories flow one into another as he speaks about the daily ranch visits, about the agave town that was difficult to get to in those days. About that sunny day when he arrived in Tequila with his new wife from Monterrey. How she asked him nervously, "What kind of a place have you brought me to?" How that same night, when they went to church at seven, they sat side by side in the front pew waiting for mass to begin—but nothing happened. A vast silence hung over the church and the ranchers divided their attention between looking at the two of them and at the altar where the priest stood mute and motionless. "We wondered. 'Is it something we've done? Finally, someone got up the nerve to tell me: 'Mister, you and your wife can't sit together. In this church, the men sit on one side and the women on the other."

My conversation with Beckmann continues, his delightful narrative syntax vividly describing the sensations of his past. Every word out of his mouth engraves vivid images in my mind. He describes the fine *charro* (Mexican cowboy) outfits and their splendid array of buttons, worn by men mounted on the finest horses with elaborate saddles. He mentions that all the men in the town were armed and rode horseback. "People from Jalisco are good-looking," he comments thoughtfully. He tells me that he and his wife owned the first television in Tequila, and that the kids would crowd around the windows or hang a ledge to see the strange contraption. "We lived in the factory, and we would break from two to four in the afternoon for a siesta. The town was lifeless for those two hours," states Beckmann.

MEXICO, FLOWERED AND THORNY

It was a different story when the town wasn't sleeping. This became abundantly clear in my conversations with the fieldworkers of Tequila, all of whom eventually return to the subject of the traditional fiestas and the Sunday strolls around the plaza, and speak to us of Fortunato, Ceferino and José, the town's three living legends. En route to Tequila, while the engineers spoke of their experiences working with the fieldworkers, all I could see outside was the horizon, the intensely luminous sky and the hills painted blue from the sheer number of agaves. "Mexico, flowered and thorny," wrote Pablo Neruda. And in the distance, near the maguey fields, tiny violet, red and yellow flowers seemed to nod their approval.

The distillery is located very near the town square, in a house that was once the Cuervo family residence. Once there, everything is quickly arranged. I am handed one of the hardhats used by all the workers and am led into the facilities. The first thing I see is what appears to be a dance performed by the men who load the ovens at the distillery. Four trim men with brown faces and dark mustaches and heads covered by flat cowhide hats stuffed with flock wear wide belts that accentuate their sinewy bodies as they protect their backs. These four young men enjoy their work because, as one of them says, "it's very physical." With poise they carry the enormous halved agave hearts—*piñas* or "pineapples"—the raw material of tequila, a drink which would emerge from the country life of the viceregal period. This drink is so traditional that even today, the people I have interviewed refer to tequila as *vino* ("wine"), as it was called over two hundred years ago. And they refer to any chore as *tequio*, whether it means eating the eighteen seasoned beef tacos that the women prepared at home, or the work carried out by each one of them in the fields. Those born in Tequila find themselves involved in a craft that has spanned several generations. Positions at the distillery were traditionally passed down from grandfather to father to son, but most people now prefer to send their children to study in Guadalajara. "My entire family has worked here: my grandfather, my father and now me. I used to plant the agave. Now I carry the agave hearts out of the fields. One day I'd like to work the still," says José Manuel Solís, as he smiles and returns to his work.

"We're going to El Zarco's house," says Elba Margarita Sandoval, from Cuervo's Human Resource Department. "I wonder how he's doing today. Since his stroke, he's had good days and bad days." El Zarco lives several blocks from here. When I ask El Zarco about his convalescence, he says, "After six months of therapy, I can walk. I do my exercises each day and I'm quite well now," he says as he points to a table where a set of wooden objects lies. "I've dedicated sixty years of my life to tequila. I always worked in the fields, the *potreros* as they're known, and in the distillery. I started working as a boy. When my father Facundo Hernández died, my mother thought it would be a good idea to come to Tequila. She took a job at the home of Anita González Rubio de Cuervo, who owned the distillery. And since she didn't want to leave her family behind, she brought all of us along with her. I was ten years old but they paid me the salary of an adult, and my job was to tend the lambs and goats. At thirteen, they sent me to work with the husband of Doña Anita. I was a cow herder, with stirrups and all, accompanying the boss through all the tequila-producing haciendas. The rounds would begin in Huitzizilapa, then on to Santa Teresa, San Antonio del Potrero, Camichines and finally Santa Ana." "And what did you do with the money you earned?" "I bought candy, little round sweets made of candied milk called *charamuscas*. I'd also go to the movies. I liked American adventure movies. My mother gave me fifteen centavos a week. As part of our salary, we were also given corn and two kilos of beans.

"I remember the names of all the agave fields: San Pedro, Guamúchil, Tepehuatl, El Rodeo, El Órgano, La Cumbre, La Presa, San Antonio, El Tezontle, El Pasto. At each one, there were crews of between thirty and fifty men. We would clean the agaves, removing the fleshy leaves to expose the heart, and then go on to another field. They paid us three and a half pesos for every thousand agaves. It would take a single man three days to finish a field. In my day, there were six crews and all the workers lived in the houses built for us by Cuervo, large shingled houses made of adobe with dirt floors. The furnishings were simple: chairs made of tule, wooden beds covered with petates, or palm mats, which we called *tapeixtles*. We cooked over an open fire, making ranch-style food: grilled, roasted or stewed chicken with rice, beef grilled or in red salsa, *requesón* [fresh cheese similar to ricotta], tortillas, beans, eggs, grilled *chorizo*, all washed down by tequila. We were well-fed, because otherwise the production suffers. In the mornings we would drink warm milk from the best cattle, because Casa Cuervo had about ten thousand head. There was a ranch called El Orito, and another known as La Joya; these were strictly cattle ranches. Our day began at five in the morning and ended at nine in the evening. There was no electric lighting. We used containers with wax and wicks, which we called *aparatos*. It's hard to believe that there was electric light in Tequila before there was any in Guadalajara."

El Zarco tells me anecdotes about the factory owners, with whom he worked closely. He tells me of a woman who was very famous in Tequila (Juan Beckmann Vidal's aunt and one of his first role models in terms of discipline, as he would later tell me): Lupe Gallardo, the former owner of the distillery, and the first person for whom Fortunato worked. He began as a servant and accompanied the owners wherever they went. José Fernández, general manager of the Regional Agave Agency, also speaks of her. "Do you know the resort called La Toma, a few kilometers from here? That's where Doña Lupe went to relax, with her entourage. When they would go to the resort, the gates would be closed to the public. And when she went to Sunday mass, she had the first two pews reserved for herself and her servants. She was the one who paved the streets and helped build the church because she was fond of charitable works."

Before visiting Tequila, I had been reading the two books Lupita Gallardo wrote about her own life. In her prose, she comes across as someone from a distant world—on account of the languor of her descriptions, her moral convictions and her impartial judgment of her contemporaries' characters. That is why I am amazed that José, still relatively young, should speak to me of that world. "What era do you like the most?" I ask El Zarco. "The days of your youth or the present?" His answer: "I like both. It's simply a question of knowing how to enjoy life."

The moment El Zarco says this, Gloria, one of his six daughters, nods her head. She also owns several mezcal fields which she cultivates, selling the agave to the distillery. "They pay 650 pesos per kilo," she says "but when it rains the rate drops because the agave is not as sweet. It's a slow process because the agave sometimes takes eight years to ripen." Gloria is enthusiastic about her work. She is the only one of El Zarco's daughters who enjoys the craft of tequila-making. "She likes it," says Fortunato laughing. "You'd think she was a man." (Later, Ceferino, Tequila's other living legend, would say to me: "You never see women in these parts. We're still old-fashioned. When we do see one, we say, 'Well, well, look here…!'")

Echoes of a world that has begun to disappear. And an accumulation of events that El Zarco keeps in his memory. Like that Sunday sixty years ago, when, as he strolled around the town square (where men and women traditionally circled the square in opposite directions), he made a flirtatious remark to a blonde among a group of smiling girls. "So she pulled out a hairpin and stuck me with it."

The following day I have an appointment with Ceferino—the most respected of Tequila's farmworkers—and with Juan Enrique Martínez, one of the best agricultural engineers in the area. They represent two generations that for some time have begun to negotiate a change. Ceferino and Juan Enrique formed a team two decades ago, when the latter was barely nineteen years old and had begun to move up in the company. It is clear they must share affinities because they have established a solid friendship, despite the fact that Martínez sought to teach newer methods to a man thirty years his elder.

"I began as a field supervisor, with the entire state of Jalisco under my charge," says Juan Enrique. "Ceferino was one of my inspectors. They helped me get the work done: harvesting, planting, personnel management, budgeting, purchasing. Now I have my own field for cultivating agave, though the problems now are more troublesome because there's a great deal of agave and too many commitments."

Born in 1924, Ceferino points out: "For me it was different. I began by cutting the agave plants. Then I moved on to work at the ranches. Later, I was in charge of personnel. All the different tasks on the haciendas suited me. Then I began working with Juan Enrique. At first he comes across as a serious type, but that's only because he holds back his laughter. We became instant friends. He was faster at estimating the size of the crops. We never had a fight. And when he got married, I was the one who gave him advice. In my day, we had lots of girlfriends before getting married, but they would get rid of us when they found out about their rivals. I enjoyed charming the girls. because when I was younger I wasn't this heavy. I weighed sixty-three kilos, and that was when I played sports and worked in the fields." My next question draws a huge smile from Ceferino: "Yes, I married the best-looking of them all, and she's still beautiful. She's nearly sixty-six and I'm seventy. We were married when I turned twenty-seven. I had 'been around' so I was experienced when we got married. I was always a loyal husband. Emilia's family worked pulling the young agave shoots. They didn't do either *jima* or *barbeo* [harvesting the agave hearts and pruning the spears]."

I also learn that the head of the agave plant was called a *naranja* ("orange") or *toronja* ("grapefruit"), depending on its size. That their size was expressed in half yards or third yards. That they were always at work by dawn, and that later, when it was time to eat, they would light a fire. Ceferino was the fastest *jimador* or harvester. "Thank God, I was really very fast at cutting. I think that when I was a jimador, from the time I was eighteen to when I was twenty-seven years old, nobody in Tequila, Amatitán and Arenal could beat me. One of my brothers and I would compete as a team. They never beat us. We would go to El Arenal, and we always won. We'd bet on the contests. We would arrive in a village and someone would say to me, 'I bet you my son will beat you.' And I'd say, 'Let's see what he's got!' and I would pull Justino, my brother, aside and say to him: 'We have to give it our all.' That's why they never beat us. Later, when I stopped working as a jimador, a nephew of mine turned out to be a great harvester too. Before you knew it, he became the best in the region, and the family tradition continued."

When Ceferino was asked what qualities were necessary in a good jimador, he responded, "That's quite a question," then took a deep breath with the lungs of a large, robust, hearty man. "What can I say? You need to get the feel for it to know how to cut the *piña*, to remove the leaves. You have to do it quickly and at the same time judge what's going to be left of the piña, because if I'm inexperienced and I cut too high, I'm going to have to make two more cuts to level it off. We call this *no errar un coyazo*, which means not making a cut twice in the same place." "Which task requires more strength, the work of the oven loader or of the jimador?" Ceferino stops to think for a moment in his customary way when the conversation turns to something important. He answers: "I'm going to respond with a joke that Enrique Orendain, a good boss and a real joker, told us. He used to like to go out into the fields when the jima started. He would go to the haciendas and talk to us, saying, 'You look wet through because you threw a bucket of water on yourself. You want the other workers to look at you and say you're a hard worker, right?' This was a big joke because the jimador is bathed in sweat when he works the fields. The work of the jimador and the *cargador*, who carries the piñas off the field, are very different, but they can be equally difficult because everything depends on the *tequio*, the workload. For example, we could have four jimadores working here, and the company's administrator orders that they do fifteen tons between them. With the cargador it is the same: if the workload is light it can be done by only one person; but if its is heavy, if it is serious—like it is for those who today demand more than 100 kilos of piñas—then the work is shared. If a cargador doesn't have the strength, the experience and the knack to lift a piña, then he can't do it. The entire piña is carried on his head, and he has to walk it to the oven. It also depends on where he is. Here in the distillery yard it's much easier because it has a flat cement floor; but in the fields during the rainy season, your foot might sink into the ground or you might slip. You could say it is the work of an artist."

"In your opinion what should a perfect, healthy agave look like?" Both of them get a gleam in their eyes. Ceferino answers: "The secret is in its development. It can't have any disease on the leaves; they have to be perfectly blue. Then they have to continue developing and grow into magnificent plants. There are agave hearts that grow to a weight of 130 kilos. Recently we saw one that weighed 150 kilos, due to the new methods that they use. It depends on whether the seedling is high quality. We used to have phrases to help us remember the rules: 'Choose seedlings about half a yard tall, one that's healthy, and that's all.' I always said to Enrique, 'I like to do things the old-fashioned way.'"

The agricultural engineers and the old farm workers are passing through a moment of transition. The factories are undergoing modernization, the names for each job carried out change from generation to generation. But the pleasures of tequila remain intact. Mario Alegre, the administrative director of Cuervo, and the engineer Luis Alberto Rendón, who has applied new methods of generic engineering such as cloning to agave cultivation, say that the struggle between generations has created changes since the 1970s. "When I was named company accountant in Tequila, I was confronted by the administrator. 'Look, young fellow,' he told me as he opened a box, 'here we do things our way.' Then, on his desk I saw a pistol the size of the box." That was thirty-five years ago. Today young and old work as a team and pass on their expertise with regard to tequila. In truth, the town of Tequila is always straddling two points in time.

Translated by Roberto Tejada and Susan Briante.

Edenic Agave

THE GARDENS OF TEQUILA

Juan Palomar Verea

A garden variably condenses what a place is, and what it can be. It is an indissoluble blend of the fruits that a particular soil is capable of yielding thanks to both the will and the work of men and women. By means of an intricately lush writing—and the faithful, rhythmic course of the seasons—a garden is the translation of the air of time, of the spirit of a place, of the natural, nourishing essence of a climate and a sky. A garden is not a metaphor: it constitutes a language and revelation of its own.

Within its innermost recess, a garden evokes an ideal past, an archetypal place fixed forever in the memory of the species, in which existence transpires in serenity and pleasure. Through the artifice that brings it into being, a garden also summons utopia: the place that it is not, the place that it will be in some elusive and intermittent future. A garden summons a tomorrow. And, because of that summons, with the tacit founding of its lush aerial utopia, the garden offers a critique—and an oblique portrait—of the world that surrounds it. Because every garden is ultimately and fatally besieged. Because all gardens render both the substance and outline of desire. But, above all, a garden's physical presence—dense, immediate, overwhelming—embodies the Other: that which escapes the bondage of the everyday thanks to the very existence of its enclosure. In a garden, days are transfigured.

II

It is not imperative for a garden in the land of tequila to harbor the ultimate emblem that sustains it. Not on this account, however, is the dauntless splendor of the agave and its spears any less present. The irreducible and bellicose silhouette covering the hillside: repeated endlessly and waving in the breeze. In the most unexpected corners, in the most recondite folds of the garden, the agave plant inevitably appears, establishing its powerful domination with its definitive, inevitable gesture. Blue *Agave tequilana*: from its intimate compact heart flows the essence that gives this place its name, providing nourishment and spirit to the gardens of its dominion. The powerful silhouette of the Cerro de Tequila presides over the landscape. From its volcano emerged a harsh, unpredictable topography, at the dawn of all millennia. Rivers whose intricate paths determine densities and tones. Its heights provide shelter and air to the fields of soldierly mescal plants.

III

The garden of the hacienda of San José del Refugio, in Amatitán, is a convincing example of the mysterious powers of the blue agave. A particular universe exists within its confines, renewing itself at the precise rhythm dictated by the manufacture of tequila: an indistinguishable gathering of pools, terraces, canals, flowering parterres, nurseries and lush vegetable gardens. The shadows of the tall smokestacks of the distillery mark the time of day as they slide over the glittering foliage, over the silent lawns. The plows rest upon a somber field. The roots of the rubber trees delineate their meticulous curves and arteries over the impassive wall atop a talus. The moss extends its humble weft along the length of the murmuring irrigation channel.

The tall adobe walls and a gully just beyond. At certain hours, along the top of the high back wall at one end of the bright green surface of the pools, a blue train passes; its whistle scares the birds into flight at dawn. In the distance, alert motionless armies of agaves await, erect. The clamor of the railroad recedes.

IV

Orchards and gardens thrived around the distilleries that were built in the town of Tequila. High adobe walls line tranquil streets. Fronds sway behind the walls,. The smell of fermented agave permeates the air: it is omnipresent. At times the wind tries to whisk it away, tries to dilute the aroma. At other times, under the leaden sun, the aroma seems to penetrate and instill itself in all things. A nearby whistle recalls the tasks that are carried out here. The estate of the Quinta del Retiro leisurely passes the hours. Along its paths, trees and shrubs grow with a rare intensity, as if the aroma of the flowers secretly instilled their sap with uncommon vigor. Generations of care and caprices have sealed this garden. It features an old house, refurbished several times over with varying results. Fountains, statues, tiles, inscriptions, fragments of other dwellings have found refuge here. Distant and immediate evocations, memories of travels and traces of tastes and deliriums. Immovable, diaphanous, the blue agave determines with its generous fierce gesture the image of the garden, the sign of the days, the weft of life.

Translated by Roberto Tejada.

Traveling Agave

TEQUILA SEEN THROUGH FOREIGN EYES : THE AGAVE LANDSCAPE

María Palomar

In memory of Antonio Gómez Robledo, eminence and depth.

What kind of eccentric landscape gave birth to the mezcal from Tequila, the "wine of the earth," from this peripheral region of western Mexico? What was the origin of this hybrid, this drink that would become an undisputed national symbol? "In the remotest confines of these West Indies, in its westernmost regions, almost at those very limits which are the frontier of human exchange and trade, it seems that nature tired of extending itself to such rugged and intemperate lands, and did not want to create more of the world. Instead it raised that one piece of earth, left it useless and barren of all human life, at the mercy of the natural elements and under the dominion of grasses and frightening solitude."

These few lines are all Bernardo de Balbuena had to say about this landscape in the prologue to his work celebrating the native wonders of New Galicia, his adopted home after having been uprooted from the Iberian Peninsula as a child. As the true limit of the Spanish Empire—its western outpost, frontier and wilderness—the landscape of this region has its own peculiar ways of revealing itself as both fierce and generous. (Jagged, dusty hills of undeniable volcanic ancestry, with crags and canyons and mountains that cast shadows as sharply defined as death itself—the place where the western land touches the sea is the image and emblem of a certain Mexican temperament.) It is a vast yellowed cloth that has been somewhat carelessly unfurled: in such even terrain, the folds resemble monstrous scars, overwhelming protuberances that are authentic accidents—of the serious kind.

However, there are footprints on this barren plateau left by the passing of ancient peoples. The offerings placed in their discreet and subterranean tombs bear witness to a refined aesthetic sensibility and certain indications (for example, their early use of metal) speak of a complex civilization that was linked to the rest of Mesoamerica as far as its eastern limits, and perhaps even to cultures of the South American Pacific coast. On the surface, there is little evidence of the passing of these ancient peoples. But on this pristinely wild terrain the same elements that sustained those distant lives have not changed. Among the miniscule landmarks punctuating this geography we find the agave and the barbed certainty with which its spears protect the moist source of nutrients. At one time, this plant provided needles and thread, clothing and shelter for the poor, and even paper for indigenous scribes.

The uses of the maguey, that pagan blessing, are dutifully recorded in the codices, the earliest chronicles—the writings of those who first tried to understand the *genus loci* of these regions. The definitive baptism of Christianity would later contribute its own symbols to the collective soul. When the Europeanization that created the colonial spirit gave way to a genuine blending of cultures during the seventeenth century, the waking dream that reconciled the Spanish Empire's Renaissance brand of Christianity with the classical grandeur of the indigenous past was expressed in The Eighth Wonder: the appearance of the Virgin of Guadalupe on a humble cloak of maguey fiber. This miracle on Tepeyac Hill made the most brilliant jewels of the Spanish Crown pale in comparison, according to another New World Spaniard, Jesuit poet Francisco de Castro: "A green satin called maguey/ springs from the soil across this blighted region/ that is so fruitful to your owner./ It bestows no blue skies on other lands,/ and is invulnerable to the attacks of time,/ surviving the sun, the rain, the frost;/ your winged heart tells of spiked leaves/ sharper than Flemish arrows..../ I owe in my style and in my pen/ this fame to the Virgin Mother:/ the glory of New Spain,/ the Ancient one, the root, the weave/ of poor cloth that held so much:/ a blossoming copy of Jesse's branch;/ from fiber to flower, it packed miracles/ into this image of the new Guadalupe."

The noble title of the maguey plant has had a long history in the Mexican landscape, though it was not the maguey but the nopal cactus that was consecrated on the Mexican flag, surmounted by the Aztec, Habsburg or centralist eagle. According to María Moliner, the Spanish word *paisaje* (landscape) is linguistically grouped with *pago* (payment) which comes from the Latin *pagus* (village) and is the root of the words *país* (country) and *pagano* (pagan). *Paisaje* comes to us from the French word *pays* which means both nation and region—the fatherland and the motherland, respectively. It has had echoes throughout the centuries. Following the same etymology, *paisano* (meaning both *payés*, or peasant, and civilian in the legal sense, not the military one) is *pagano* (lay or secular, not clerical): in other words, it means a being connected to the *pagus* and close to the *genii loci*, who are the primal spirits of the earth.

The landscape of tequila makes a definite impact, but is never revealed in its entirety, and even less so to the eyes of foreigners who doubt the power of tequila and its fierce and hearty rural temperament. The travelers who passed through the region during the nineteenth century left us disparate images and observations. This is the case of the writings of the Italian J. C. Beltrami (whose description was written in 1823) and the Englishman W. H. Hardy (who visited the region only two years later). The first writes, "Although Tequila is a beautiful village, it is surrounded by what seems a barren region to European eyes. However, in Mexico even bad land bears fruit and riches; the maguey and other indigenous plants have provided Tequila with a prosperity that grains will not. [...] The Tequila maguey produces a high-quality liquor, the liquor that is called mezcal wine." For his part, the British subject affirms, "Three leagues northeast of Guadalajara lies the flourishing town of Tequila, surrounded by gardens and sugar plantations and a type of maguey which is not as large as that grown near Mexico City, used for making pulque, Mexico's favorite drink. Here, there is no pulque. This smaller maguey plant is fermented and produces a whisky, which is distilled into a much stronger spirit called *chinguerite*." In 1853, the Frenchman Ernest de Vigneaux narrated his experiences as a prisoner of war being transported through the Tequila region: "The terrain is desolate, the land arid and rocky. Immense fields of maguey signal our proximity to Tequila, the city of mezcal. The sight of those dry and rocky plains covered with thorny plants brings to mind the forgotten circle of Dante's Inferno. It is not, however, a cursed land. After banana and corn, whose use is more basic, the American maguey (agave) is the most precious gift nature has bestowed on Mexico."

In 1856, a journalist from California named Merwin Wheat, who wrote under the pen name Cincinnatus, published a series of travel letters. With a mixture of enlightenment and ignorance—and a good measure of infuriating prejudice—he went from Tepic to Guadalajara and described the desert-like appearance of the region before reaching Magdalena (where a lake still existed). Later he wrote, "Something aroused an even greater sense of awe in us: the contemplation of a picturesque backdrop of mountainous landscapes with all the varying formations of cone-shaped and oblique contours that volcanic heat is capable of producing. For a distance of eighteen miles around, one does not notice any specific difference in the general characteristics of the territory. Having said this, I cannot claim that the panorama is completely monotonous, nor that we simply continued seeing the lake or the valley, but rather that specific changes wrought by the convulsive nature of this region surged into view at every instant." Even these distant and foreign perspectives celebrated the unyielding character and harsh beauty of the landscape of tequila. A land of surprising texture, with changes as abrupt as they are exceptional, western Mexico expresses its vocation for creating solitary plains marked by strong contrasts.

Faithful only to itself, this rugged landscape is unfathomable and fierce in its depths, upright and steadfast in its heights—whether we are speaking of the land or of its people. Despite everything, the children of the conquistadors certainly knew how to appreciate and assimilate the "American Marvel" with its aesthetic of the terrible and its ritual and pagan hostility. These rugged individuals were the product of an early modernity, one that brought the debate over the earth's roundness to a decisive conclusion in the sixteenth century. The modernity of the twentieth century taught us to regain our awareness of the ungrateful beauty of the unknown. It freed us from the perplexity of the Counter-Reformation, and allowed us to submerge ourselves in "primitive" images, untamed landscapes and uncensored, remorseless pagan sensibilities.

Today, there is no doubt that Mexico's imaginary is indebted to André Breton, whose *Souvenir du Mexique* (Memory of Mexico, 1938) provides an emblematic, simple and definitive description of the maguey and its land: "Red earth, virgin earth, impregnated with the most fertile blood, a land where human life has little value, and—like the agave that extends to the horizon—is always prepared to be consumed in a flower of danger and desire."

Translated by Susan Briante.

Imaginary Agave

THE POETICS OF TEQUILA

Vicente Quirarte

For Jorge Esquinca, my brother on horseback over hills of blue agave.

Like coffee and love, tequila is irresistible, demanding and powerful. Like coffee and love, tequila is not for the half-hearted. With all its purity, immediacy and vertigo, its highest favors are reserved for those who accept it as part of them. Product of the most refined alchemies—like coffee and love, as well—it is a drink for the initiated, a test for distinguishing appearance from reality. Tequila tastes like its name. Unlike the sweet *xtabentún* of the Southeast, or the smooth *charanda* of Michoacán, the word "tequila" evokes the sound of a bullroarer, the snort of the stallion ridden by a

Ritual Agave

TO HELP HILDEBRANDO PÉREZ LEARN TO DRINK A SHOT OF TEQUILA

Efraín Huerta

Your left hand drawn taut. Ready? Now watch: on the back,
between the thumb and index finger, a hollow, a slight hollow
like a grave dug by none other than God in all His splendor.
The white tequila has been poured into the tall shot glass.
I've never found out why it's called a pony;
perhaps because after five shots one begins
to gallop over sea and sky on the mare Siete Leguas,
for you should know that the horse Siete Leguas
—"Siete Leguas was the horse that Villa loved most of all,
for he would rear and whinny every time the trains would call"—
was no horse at all but a mare as hot as can be, like,
say, the renowned Valentina or the notorious Adelita
or some Peruvian or Mexican poetess at home in her milieu.
All right, now in the little hole (if you have one) on the back
of your taut left hand, a small heap of salt. Got it, brother?
Bring your hand toward your eager mouth, approximately
twenty centimeters, give or take a few: open your mouth
and with your right hand slap the stiff fingers
of your left hand: the salt heap leaps mouthward
and the ritual begins. Suck on a lime. Drink.
A caballito is good for five or six nips.

If you have no hole—on the back of your left hand, that is—
then drink as they did in days gone by: squeeze the lime into the glass
add the salt—and you're set.
It's a shame that in your Limaperú you have no
sangrita (tomato juice, very special)
made by a widow born and bred in Jalisco, very *tapatía*,
to soften the hard gulp of tequila.

In any case, one way or another, the moment will arrive
when you earn your bachelor's,
—never a doctorate—
as an authentic, true-blooded Mexican cowboy,
which is almost like attaining a certain standing
as a hypocritical drinker.

Translated by Mark Schafer.

horseman abducting a woman who sells *chia*-water during Lent.

Form is substance. Tequila is the town from which the beverage takes its name, and its sound evokes the noble ruggedness of the Mexican Bajío region. Nothing could be more Mexican; by the same token, nothing could be more Mestizo. The distillation process invented by the Arabs, the maguey whose name the Spaniards found in the Caribbean, the cult of a plant species that provided ancient Mexicans with food, clothing and pleasure—all these elements converge in the history of one of the chief protagonists of our culture. The difficult road to transparency has been traveled for hundreds of years by the beverage we call by its denomination of origin, tequila.

Product of the late-eighteenth century, what the Criollos called the "wine of this country" is historically linked to the collapse of three centuries of Spanish rule, given that the initiation of large-scale production of tequila coincides with the first movements toward Mexican Independence. The year 1995 marked the symbolic bicentennial of tequila, commemorating the Intendancy of Guadalajara's 1775 lifting of the ban on its production. During this same year, José Guadalupe Cuervo received the first concession for its production. This is not the place, however, to discuss the history of tequila. While there is only a limited bibliography on the drink that has been called "the national aperitif" by Mexicans and foreigners alike, for a brilliant, succinct and charming history of tequila, the reader should consult *El tequila: Boceto de una industria* (Tequila: Sketch of an Industry) by José María Muriá, on which I have drawn to review the main historical points for this brief voyage to the heart of tequila.

A close relative of mezcal, and extracted from a similar maguey plant, several nineteenth-century novels mention what must have been mezcal from Tequila or its surrounding areas. In 1812, in the midst of the fight for independence, *El Diario de Mexico* listed the product's many benefits: ""Pure mezcal wine has the virtue of being able to cure illnesses, as has been the experience of the inhabitants of those places where the use of the liquor has been permitted. It gently facilitates female menstruation, even increasing its flow as desired, and relieves the pain of childbirth when consumed lukewarm at the onset. It kills worms and prevents other parasites from spreading. Taken at room temperature, it is effective in relieving women's post-natal pains. In order to experience these salubrious effects, the mezcal should be pure, not mixed with water or any other spirit. It is sold from an outbuilding on the same street as the church of the Holy Spirit, between the houses numbered 3 and 4."

THE CONTAINER AND THE CONTINENT

Clear, naked and overwhelming, tequila's virile nature—though its name may sound feminine—does not require special temperatures or complicated rituals. It is always better, nonetheless, to first make it part of our lives through a set of simple, but essential, canons. "The *son* comes from Tecatitlán, and the mariachi from Cocula, the singing is from San Pedro, and the mezcal from Tequila," states one of our best-loved songs as a demanding, immovable syllogism. Just as an umbrella should be black and a woman lovely, a *caballito* (a tall shot glass, literally, a "pony") should be tequila's only container and entire continent. A transparent glass to hold the transparency of tequila. Edgar Allan Poe (who knew all too well about alcohol) established three requirements for great writing—brevity, intensity and effect. When poured by an expert hand, a prime tequila will reward its disciples with a "string of pearls" in a perfect circle along the rim of the glass. The duration of these pearls, as well as their uniformity, depends on the quality and purity of the tequila. The circle of jewels disappears after the first sip, and we can now see how the liquid caresses the walls of the glass, clinging to them like burning lips, as if to say, "Forget me not." We owe one of the best descriptions of this perfect container for tequila to Efraín Huerta, whose thirst was as powerful as his poetry, and who dedicated an entire poem to the caballito, the "David" of the family of glasses: small, powerful and efficient.

In the wee hours of June 15, 1988, the people of Jerez celebrated the centennial of Ramón López Velarde's birth with drums and stiff drinks of mezcal from Zacatecas, served in jugs that the guests hung around their necks with ribbons. While this was practical for their wanderings that evening, it was hardly conducive to savoring the drink. Like my mentor, Efraín Huerta, I confess my ignorance as to why the tequila glass is called a "pony." Gonzalo Celorio interprets the name as a tribute to the measured, galloping ritual that tequila demands of its riders. We use the diminutive form—*caballito* instead of *caballo*. Perhaps we say "caballito" because the illuminating properties of tequila allow us to trot pleasantly along—and should its noble nature be brutally ignored and its full force unleashed, it would carry us toward the abyss. A steady, processional rhythm is the golden rule for the true connoisseur. As tequila was made for the righteous to savor, it was also made for the stupefaction of those who toss it off with no awareness of what they are drinking. The legions of barbarians from the North, invading Mexico year after year, have exemplified this very well with their "tequila shots." Being ignobly possessed by the drink without ever truly possessing it can be roughly compared to the paid favors of eager adolescent sex.

Since the day tequila suddenly became a drink of refined taste, there have been certain unorthodox waiters who believe that they are doing you a great service by pouring it into a cognac glass. Tequila should breathe in the tall shot glass, *ma non troppo*, as if to embody the transparency referred to by the great Mexican poet José Gorostiza in *Muerte sin fin* (Endless Death). An unexpected pleasure, on the other hand, was provided to me by a waiter in Santiago, Nuevo León, who asked me if I would like a *banderita*, or tequila "flag." This consisted of three caballitos, arranged in rigorous chromatic order according to our national color scheme: green lime juice, white—actually, transparent—pure tequila and a shot of red *sangrita* (a blend of spiced citrus or tomato juices).

Where if not in Jalisco? In the La Fuente cantina, near the equally venerable Teatro Degollado, generally one brand of tequila, Centinela, is served in tall caballitos whose generous height should become the standard, far removed from the finger-measuring stinginess of some bartenders. With one of such glasses, the heart is set aflame; with two, one is carried to the cloud where Lucha Reyes sings *La Tequilera*, the song composed especially for her by Alfredo d'Orsay: "They call me the Tequilera/ As if it were my name,/ Because that's how they baptized me,/ In tequila I was bathed."

Perhaps it was the generous size of the caballitos at La Fuente that inspired Ana Mérida to give what was likely her last public dance performance. A woman of almost seventy illustrious years, she ignored the complaints of her limbs and joints, as well as the counsel of prudence. Fueled by of seven shots of tequila (a Jaliscan blood transfusion), on hearing the sweet tenor voice singing "Granada," she could not resist the urge to throw herself into the ring once again, seeking to regain the youth that Diego Rivera had captured on the canvas in his portrait of her entitled *Ana of a Thousand Faces*. Her performance accompanied by piano solemnified the drinking ceremony in the cantina that is anchored in the Guadalajara of the 1940s.

To the same cantina we owe a series of poems, written in situ by Miguel Angel Hernández Rubio throughout the course of a single day, entitled *Allá en La Fuente* ("At La Fuente"). This space changes depending on the people in it. In one of these epiphanies, where the limpidness of the tequila appears to momentarily open the doors of clarity, appears the image of Eva, queen of the El Jalisco cantina in San Blas, Nayarit. This image, better known as Our Lady of the Gulfs, drinks tequila from a glass which our linguistic blend calls a *chocomilero* (chocolate-milk glass). The poem reads as follows: "In tequila/ —that burning oil—/ the ice/ as it melts/ is a diamond/ polished by the light of the moon/ or the sun;/ and after a long, long drink/ toward that other perfection:/ that glass.../ that void."

In Guadalajara there is a cantina without a name, but it is nevertheless called Los Caballazos or El Hipódromo by those who frequent it. The spot is the domain of Caballito Cerrero—the only brand served there—which is poured into enormous glasses with crushed ice and the customer's choice of soft drink. Sangrita is more expensive than the soft drinks, perhaps because of the belief that the experienced drinker has no need of a chaser. According to local legend, no one has ever drunk more than two of such glasses, served from behind an eighteen-meter tile bar whose length alone should merit it a spot in the Guinness Book of World Records. One important code of honor: anyone who shouts or starts any sort of mayhem is obliged to leave the premises—humble though they are, they maintain the dignified presence of the most exclusive gentlemen's club.

EMBLEMS AND INSIGNIA

A reading of tequila can be made by looking at its different colorings and consistencies against the light—from the transparency of the *blanco* or white tequila to the dark honey color of aged tequila. But a tour of various tequila producers allows us to compile an inventory of colors, flags and metaphors where each tequila exhibits its particular character. From the date of its triumphant entry into the halls of fashionable consumption, the makers of the most commercial brands have sought to recover the genealogy of tequila production. While novels and the many *corridos* composed since the first major social revolution of the twentieth century exalted the drink's qualities and converted it into a symbol of liberty, happiness and nationalism, the emblems and names of future tequila companies would also reflect similar values.

Since 1906, when tequila first became available in glass bottles, labels for each brand have become as varied as the names of the distilleries where they are made. We can begin our research into these names by delving into some of the more venerable cantinas of Mexico. In many cases, the maguey depicted on old bottles has thin, sharp leaves. This is not the melancholy maguey of wide, drooping leaves from which pulque is extracted, but the smaller, sharper tequila maguey. The *Agave tequilana Weber*, blue variety, for example, appears in triplicate on the Tres Magueyes label, and on the Cazadores brand, alongside the *piña*—the heart of the drink—and a deer's head. The plant also appears on the exotic Newton brand, probably named for its ability to alter the laws of gravity. The Herradura label pays homage to the fieldworker engaged in dismembering a maguey in order to reveal the heart, which will later be roasted before distillation. The story goes that when several producers of the Herradura brand sought to separate and make their own tequila, they tried to find a symbol that had no relation to the former brand. This is how the equally high-quality Caballito Cerrero was born, with a label depicting an orange colt drawn in such a naïve style that it could be mistaken for a deer or a calf. A more clearly drawn horse appears on the label of the almost unobtainable Siete Leguas. The Sauza family proudly features the year 1873 on their bottles—the year in which Cenobio Sauza bought the La Perseverancia factory, formerly known as La Santa Cruz, as depicted in the mural by Gabriel Flores at the Tequila Sauza plant.

The cruel irony of Augusto Monterroso's fable—in which a diner tries frogs legs and exclaims, "They taste like chicken!"—can also be applied to those who attempt to illustrate the excellence of a tequila by likening it to cognac. These are the same people who will tell you that Xochimilco is the "Venice of Mexico," and who prefer to drink tequila disguised in the froth of a margarita.

Tequila tastes like tequila, and should burn—again, like love or coffee—so that the body feels what it is ingesting. There are palates that prefer aged tequilas or even crème de tequila. As an aperitif or the prelude to a banquet, there is nothing like the delicious, direct impact of a blanco tequila. For the end of a party, likewise, there is nothing like the sweetness of an aged tequila, whose fame resides in the adjective *reposado*, compensation for the long wait and repose in white oak barrels.

"CLEARER THAN WATER, STRONGER THAN MOONSHINE"

This is how Domingo Lázaro de Arregui described tequila in his *Descripción de la Nueva Galicia* in 1621. Cenobio Sauza began exporting tequila to the United States in 1873, but three subsequent decades of gentility under Porfirio Díaz favored the consumption of foreign liquors here in Mexico. Even the Mexican symbolist poets exalted the effects—whether real or imaginary—of absinthe and other spirits imported from overseas. It was in this context that tequila played such a prominent literary role in the outbreak of the Mexican Revolution in 1910. In *The Underdogs*, the first novel written about the revolutionary movement, Mariano Azuela opens the second part of his book with the following paragraph: "Rather than champagne, which sparkled and dissolved the light from the oil lamps, Demetrio Macías preferred the clear tequila of Jalisco." On subsequent pages, Macías's troops are found in the midst of a celebration where they boast of their killings in combat and of the "advances" achieved during their incursions into the houses and haciendas of the rich. A knowing wink by Azuela establishes the confrontation between two worlds: "Among the cut glass, porcelain and flower vases, the bottles of tequila abounded."

Fuel for suicidal attacks by Pancho Villa's Northern Division, tequila is also the companion of sorrow and pleasure. Camila discovers its curative properties when Luis Cervantes uses it to disinfect a wound. The anonymous composer of La Valentina compared tequila to another drink that also had its origin in its Spanish name of *jerez*: "If today I drink tequila,/ tomorrow I'll drink sherry/ If you see me drunk today/ tomorrow you'll see me nary."

Tequila is a barometer of social pretension. The Revolution, though triumphant, would quickly lose its nationalistic fervor, as Mexicans turned their eyes once again to the pomp and pageantry of the Porfirio Díaz era. Victoriano Huerta, for example, was a voracious cognac drinker, and Hennessy is featured in the adventures and misadventures of the young politicians in Martín Luis Guzmán's *La sombra del caudillo* (The Shadow of the Leader). With a superhuman dose of tequila, used as an instrument of torture, the kidnappers of the deputy Axkaná González warn us in a far more effective manner than any other kind of message—whether subliminal or otherwise—as to the dangers of excess: "Axkaná felt as if he had fire in his mouth, in his throat, in his chest; despite everything that had happened, he was flooded with a sense of immense well-being. Two more gulps, given to him immediately, provoked almost no resistance: they entered him as a drug which alleviates and frees the body from pain. But this did not last for long; moments later the sensations changed suddenly. He now felt the rapid signs of a terrible drunkenness coming on, a strange intoxication which filled him with a sense not of dizziness, but of drowning. He began to feel like someone else, second by second; a profound change which gathered momentum each time his arteries swelled under the pressure of his blood." In the end, however, the Revolution was unable to impose tequila as the nation's drink. The poet Ramón López Velarde's friends, when baptizing his career as a newsman, did it with a bottle of cognac. And in his novel *Las batallas en el desierto* (Battles in the Desert), set at the beginning of Miguel Alemán's presidency, José Emilio Pacheco emphasized the middle class's desire for foreign drinks and its tendency to "whitewash Mexican tastes."

Gilberto Owen was, among other things, the ethylic conscience of the group known as Los Contemporáneos. He left Mexico in 1928 and returned in 1943. The country and its capital had changed drastically, and Owen made three discoveries that moved him: the El Nacional building, his eighteen-year-old niece, and tequila. In Bogotá, where Owen had been married to a Colombian woman, he would begin drinking the local liquor of Cundinamarca early in the day; it was served to him in a teacup so as not to scandalize café society. Back home in Mexico City, living on the Calle de Mesones, Owen would frequently interrupt his notes and translations to have a few tequilas at the Salón de los Espejos, which still exists. For him, the drink was a kind of reinstatement into his homeland, "a safe haven and a farewell to adventure," as Owen called alcohol, the metaphoric fuel for the voyage of his character, Sinbad the Stranded.

Mario Moreno, better known as Cantinflas, the famed Mexican comedian, also owed some of his more memorable scenes to tequila. Under the direction of Arcady Boytler in the film *¿Águila o sol?* (Heads or Tails, 1937), Cantinflas and Medel engage in some of their finest acting when—as any self-respecting Mexican would do—they attempt to drink just one more tequila before retiring. Their tequila-fogged spree, however, has brought the two friends to such a fascinating conversation, such a tight embrace, that they keep bumping their heads together. One-sided speeches, canonical phrases, in which each attempts to construct his own discourse and respond to the other's, are the verbal instruments orchestrated by the little glass of tequila which becomes the key to the wild release of affinities, wounds and passions.

A blanket for the poor, a shield for those who have been abandoned, tequila is noble, transparent and sober (oxymoron notwithstanding). One of the finest tributes paid to the triangle formed by man, woman and tequila was by a poet whose name I will never remember. For several months straight, he religiously bought a half-pint of Hornitos tequila every night—it was all he could afford—and drank it in measured sips on the sidewalk in front of the house of his lost love, without her being able to look at him and with no other company but the flame of the "lightning bolt that never dies" as it cauterized his wound. Later, without having knocked on the door, he would continue on his dark way, half-illuminated (or half-lit) only by the noblest product of the agave.

"The Ibargüengoitia hour" was Joy Laville's name for that time of day when her husband would interrupt his work to watch the young girls as they left school for home. The great writer and playwright would always accompany the ritual with a glass of tequila as fleeting and intense as the girls' beauty and nimbleness. In Jorge Ibargüengoitia's luminous shadow, it is possible to conclude that the true devotee of tequila begins to take on the liquor's noblest qualities. By its light, the shadows recede, the landscape brightens, and we become as diaphanous as the drink which, stride by stride, becomes a part of us. With its benign hangover, its lengthy stay in the body, tequila was born to accompany our best adventures, which are always journeys within the soul. "My soul is always a little drunk with tequila," sings Lucha Reyes as if to teach us that the spirit reigns over all our deeds.

Translated by John T. O'Brien.

Mischievous Agave

MIRACULOUS TEQUILA

Laura Esquivel

Chole is to blame for my misfortune. Say what they may, Apolonio is innocent. It's just that nobody understands him. If he beat me from time to time, it was only because I made him lose his patience, and not because he was cruel. He always loved me. He loved me in his own way—but he loved me. No one will ever convince me otherwise.

If he went out of his way to get me to accept his lover, it was because he loved me. He didn't have to tell me about her. He could have kept her a secret, but he says he was afraid I would find out about his affairs and leave him. And he couldn't bear the thought of losing me, because I was the only one who understood him. My neighbors can preach all they want, but how many of their husbands tell them about all the women they have on the side? Not one of them. No, the only honest man is my Apolonio. He's the only one who cares for me. The only one who worries about me. With this AIDS thing, it's really dangerous for a man to go hopping from bed to bed, so instead of having a lot of women, he decided to make a sacrifice by taking on just one fulltime lover. This way I was at no risk of getting the disease. And that's no bullshit! That's real love. But what do they know!

I have to admit that in the beginning it was even a little hard for me to understand. In fact at first I even said "no" to the whole thing. Adela, my best friend's daughter, was much younger, and I was scared that Apolonio would leave me for her. But my "Apo" convinced me that this would never happen. He said Adela meant nothing to him. It was just that he needed to make the most of his last few years with an active sex life, that it was now or never. I asked him why he didn't make the most of it with me, and he explained it thoroughly to me until I agreed that it was out of the question where the two of us were concerned. To sleep with me would be pointless since I was his wife, and he could have me whenever he wanted. He needed to prove he could seduce younger women—one of those male things that we women can't understand. If he didn't prove it to himself, he'd lose all his confidence, develop hang-ups and be incapable of ever fulfilling his duties as a husband again. Now that really scared me. I told him it was all right and accepted the fact of him having a lover. So I went with him to talk it over with her, because Adelita, whom I had known since she was a child, was extremely embarrassed, and she wanted to hear from my own mouth that I had given her my permission to be Apolonio's lover. She explained that she didn't want to settle down with Apolonio. She just wanted to help our marriage and said it was better for Apolonio to see her, not some other tramp who might really want to take him away from me. I was grateful for her thoughtfulness, and I think I even gave her my blessing. The truth is that I was more than grateful, since she was also making a sacrifice for me. As young as she was, Adela could have married and had kids, but instead she was willing to be Apolonio's full-time lover, just because she's a nice person.

Well, that day we had a good long talk and straightened things out between the two of us: the schedule, the days he would visit her, and so on. Under the circumstances, I should have felt fine. Everything was under control. Apolonio was going to settle down and all was wool and a yard wide. But for some reason I was miserable.

Whenever I knew that Apolonio was with Adela, I couldn't sleep. I'd spend all night imagining what they were doing. Well, it didn't take much imagination to figure that out. I knew what they were doing, period. And I couldn't help being tormented by it. The worst part was trying to play the happy wife peacefully asleep, since I didn't want to make my "Apo" angry. He didn't deserve that. One day he came in and found me awake. He was furious. He called me an emotional blackmailer and demanded to know why I couldn't let him have a good time without me spoiling it for him. How could he give me any greater proof of his love? And yet how did I repay him? By spying on him, by tormenting him with my misty eyes and fears that he was never going to come back. Had he ever missed even a single night? And it was true. Though he got in at five or six in the morning, he always came home. I had nothing to worry about. I should have been happier than ever, yet—God knows why—I wasn't. What's worse is that I started to get sick, I was so mad at that bastard Apolonio. It made me angry to see that he bought Adela things he had never given me. He took her out dancing, when he never took me out. Not even on my birthday when Celia Cruz was singing and I begged him to take me. Out of sheer anger, my eyes started turning yellow, my stomach bloated, my breath soured, my eyes burned and my skin became blotchy.

It was then that Chole told me that the best remedy in such cases was to submerge a handful of boldo tea leaves in a liter of tequila, and have a cup of it in the morning before breakfast. Tequila with boldo absorbs bile and rids the body of anger. Well, I didn't need to be told twice to go to the corner store. I bought a bottle of tequila from Don Pedro and prepared it with the boldo tea. The next morning I drank it, and it worked. Not only did I feel cured, but I was happier than I had been in ages. After a while, the effects of the remedy were even stronger. Seeing that I was calm and smiling all the time, Apolonio began to visit Adela more often, which was all I needed to go and pour myself a little drink, regardless of what time of day it was, so that the surge of bile would do me no harm. My visits to Don Pedro's store became more and more imperative. A bottle of tequila, which at first had lasted me a month, now barely lasted a single day. Sure enough, though, there wasn't a drop of bile in my body! I felt so good I started to believe that tequila with boldo had miraculous healing properties. It went down my throat cleansing, invigorating, healing, comforting and warming my entire body—making me feel alive, alive, alive!

The day Don Pedro said he could no longer give me credit, not even for one more bottle, I thought I would die. I knew I couldn't make it through the day without my tequila. I begged him. Seeing how desperate I was, he took pity on me and agreed to let me pay in kind. Well, I guess I always knew that deep down inside I was no good. The honest-to-God truth is that with so much heat surging through my body I was willing to do anything, and it was there on the counter that Apolonio found us, giving free rein to our desires. Apolonio has since left me for being a drunk and a whore. He now lives with Adela. I've since led a life of ruin. And all on account of that bitch Chole and her remedies!

Translated by John T. O'Brien.